De verborgen buit

www.de4vanwestwijk.nl
www.pimentokinderboeken.nl

Tekst © 2008 Manon Spierenburg
Illustraties © 2008 Elly Hees
Vormgeving Elly Hees

ISBN 978 90 499 2271 9
NUR 282

Pimento is een imprint van Foreign Media Books BV,
onderdeel van Foreign Media Group

Een vreemde ontmoeting

'Christina Appelboom, als je niet onmiddellijk hier komt, dan zwaait er wat!'

Chris dook in elkaar. Ze had zich samen met haar hond Koesja verstopt in haar slaapkamer. Ze staarde door de openslaande deuren de tuin in. De tuin liep helemaal achterin over in een brede duinenrij. Daarachter lag het strand. Chris woonde alleen met haar vader en moeder in het grote huis. Broertjes en zusjes had ze niet, maar daar zat ze niet mee. Ze had haar hond en daar had ze genoeg aan.

Chris had er een gezonde hekel aan dat haar moeder haar Christina bleef noemen. Ze had haar al honderd keer gezegd dat ze het een truttige naam vond. Niet dat haar moeder zich daar iets van aantrok. Die had het veel te druk met de nieuwe buren wijs te maken dat de familie Appelboom onvoorstelbaar deftig en sjiek was. Mevrouw Appelboom was helemaal vlekkerig geworden van opwinding toen ze had gehoord dat niemand minder dan de nieuwe burgemeester van Westwijk in het huis naast hen zou komen wonen.

'Christíííína?!'

De stem van Chris' moeder klonk inmiddels tamelijk sireneachtig. Koesja hijgde en sloeg met zijn staart

5

op de vloer. Hij keek Chris aan. Hoorde ze dan helemaal niet dat ze geroepen werd? Hij duwde zijn neus tegen haar hand en jankte. Chris aaide hem over zijn kop.

'Ik hoor haar wel,' zei ze. 'Ze horen haar drie straten verderop nog wel. Maar als we nu komen, trekt ze me waarschijnlijk een roze jurkje met een bijpassend strikje aan en duwt ze ons zó het huis van de nieuwe burgemeester binnen. Dan moeten we doen alsof we zó ontzettend belangrijk zijn dat we zowat omvallen van gewichtigheid.'

Koesja jankte.

'Dat bedoel ik,' zei Chris. 'Kom op, we gaan er mooi vandoor!'

Chris wipte van haar bed en deed zo zachtjes mogelijk de deuren naar de tuin open. Ze sloop langs de keurig aangeharkte gazons met rododendrons en hortensia's. Ze hoorde haar moeders stem nog steeds toen ze bij de wilde braamstruiken achter in de tuin aangekomen was.

'Christina, je doet nú wat je gezegd wordt of ik vertel het tegen je vader!'

Chris zag het woedende hoofd van haar moeder uit het keukenraam steken. Lekker deftig, maar niet heus. Snel glipte ze achter de struiken langs. Koesja rende luid blaffend achter haar aan.

Het huis van de familie Appelboom stond boven op een woeste duinenrij. Het was een mooi oud huis met wit geschilderde muren, groene luiken voor de ramen en een rieten dak. Het zag er van de buitenkant ontzettend gezellig uit. Dat het er binnen een stuk minder gezellig aan toe ging, wist bijna niemand. Om dat zo te houden, zorgde Chris ervoor dat ze nooit iemand mee naar huis nam. Ze had al genoeg problemen op school en met de andere kinderen, en ze wilde zichzelf niet nog meer narigheid op de hals halen.

Aan de voorkant van het huis was de straat. Aan de achterkant kon je over een zandpad door de duinen zo bij het strand komen. Er stonden maar een paar huizen in dit gedeelte van Westwijk aan Zee. Een heel stuk verderop begon de boulevard pas. Daar stonden de flats, de hotels en alle restaurants en discotheken.

Chris woonde haar hele leven al in Westwijk. In de winter was het een rustig plaatsje met een handjevol inwoners, waardoor bijna iedereen elkaar kende.

Er gebeurde zo weinig opwindends in Westwijk dat alles wát er gebeurde meteen als wereldnieuws werd gezien. De Westwijkers namen de roddels door bij de bakker, de slager en natuurlijk bij Snackpoint Charlie, de friettent.

Maar in de zomer veranderde het kustplaatsje in een gekkenhuis. Duizenden toeristen kwamen elk jaar op het strand en de zee af. De campings en de hotels liepen vol. Veel Westwijkers verhuurden voor een klein vermogen een kamer van hun eigen huis aan vakantiegangers. Het was echt niet normaal hoe slijmerig ze deden tegen die mensen. Alleen maar omdat ze een zwembad vol geld meebrachten en van plan waren dat in een paar weken uit te geven. De Westwijkers zagen de toeristen graag komen. Chris niet. Ze werd er behoorlijk moedeloos van als het strand weer vol lag met aanstellerige meisjes in piepkleine bikini's. En met grote jongens die met frisbees gooiden om indruk op de bikini's te maken. En op de talloze families die overal op de terrassen zaten, zich volpropten met vis en patat en vreselijk veel lawaai maakten. Maar het ergste vond ze nog wel dat haar geliefde Koesja nergens meer welkom was, omdat er in de zomer ineens overal borden met VERBODEN VOOR HONDEN verschenen. Hij mocht niet meer op de boulevard, niet meer op het strand en zelfs niet meer in de duinen om op konijntjes te jagen!

Chris had Koesja vier jaar geleden in de zomer gevonden. Hij was toen nog maar heel klein. Zijn baasje had hem aan een boom vastgeknoopt en was zelf lekker vakantie gaan vieren. Toen Chris de kleine pup vond, was hij meer dood dan levend. Ze had hem mee naar huis genomen. Meneer en mevrouw Appelboom hadden het belachelijk gevonden dat ze dat vieze beest probeerde te redden. Maar omdat ze dachten dat hij het toch niet zou halen, gaven ze Chris toestemming om Koesja bij zich in haar slaapkamer te houden. Wel lachten ze haar smakelijk uit toen Chris vroeg of ze de hond naar de dierenarts mocht brengen. Alsof ze geld zouden uitgeven aan die halfdode vlooienbaal!

Drie dagen en nachten bleef het spannend of Koesja zou blijven leven. De vierde dag stond hij ineens op, nog wankel op zijn pootjes, waggelde naar Chris toe en likte haar in haar gezicht.

'Nou, dat is dan ook weer opgelost,' zei Chris' moeder. Ze probeerde vrolijk te klinken, maar haar stem sloeg over van de zenuwen. 'Die hond kan nu naar het asiel, daar weten ze wel wat ze ermee aan moeten.'

'Dit is míjn hond! En hij blijft hier!'

Chris was toen nog maar acht jaar oud, maar niet minder koppig dan nu. Ze ging recht tegenover haar moeder staan met haar handen gebald in haar zakken.

'Hahaha,' lachte haar moeder zogenaamd vrolijk, 'een hond, stel je voor! Nee hoor, geen sprake van!'

'Ik zal zorgen dat jullie geen last van hem hebben. En ik zal zijn eten betalen van mijn zakgeld.'

'Praat geen onzin, Christina,' zei haar moeder. Ze draaide zich om, verspreidde daarmee een wolk van parfum en liep de kamer uit.

Natuurlijk was Chris niet van plan om Koesja weg te doen. Twee weken lang hield ze hem verstopt in haar kamer. Toen kwamen haar ouders erachter wat ze gedaan had, doordat Koesja de poot van een antiek tafeltje per ongeluk voor een stuk hout had aangezien. Meneer en mevrouw Appelboom zaagden zo ongeveer drie jaar door over de straffen die ze Chris zouden opleggen. Om te beginnen zouden ze haar naar een streng internaat voor zwakzinnige kinderen sturen. Ook zou ze huisarrest krijgen voor de rest van haar leven en haar zakgeld werd ingehouden tot haar tachtigste. Chris had haar arm om de dikke vacht van haar hond heen geslagen en wachtte geduldig tot haar vader en moeder uitgeraasd waren. Ze wist uit ervaring dat ze het uiteindelijk weer zo druk zouden krijgen met zichzelf en met ruziemaken dat ze Chris vergaten. En daarmee de hond.

Koesja was al lang geen zielige magere pup meer, maar een stoere zwarte herdershond die eruit zag als de wolf van Roodkapje. Sinds de dag dat Chris hem gered had, waren ze onafscheidelijk geweest. Koesja deed alles voor haar. En omdat Chris eigenlijk geen andere vrienden had, hield ze meer van Koesja dan van wie ook op de hele wereld. Nadat ze deze middag ontsnapt waren, liepen Chris en haar hond samen over het strand. Koesja snuffelde fanatiek langs de vloedlijn. Hij vond het heerlijk te kijken of er iets eetbaars te vinden was tussen alle aangespoelde rommel. Hoe smeriger, hoe beter.

Chris merkte dat ze zelf ook best iets zou lusten. Het was al halverwege de middag en de laatste keer dat ze gegeten had, was vanmorgen bij het ontbijt.

Ze rommelde in de zakken van haar jas. Daar kwam alleen een half opgegeten rolletje drop uit. Ze zou terug naar huis moeten. En maar moeten hopen dat haar moeder niet al te kwaad zou zijn. Terwijl Chris de laatste dropjes achter elkaar in haar mond propte, hoorde ze Koesja blaffen. Ze keek op. In de verte zag ze dat een man een klein bootje het strand op trok. Koesja sprong opgewonden om hem heen en maakte zo veel mogelijk herrie. Chris begon meteen te rennen.

'De toeristen zijn vroeg dit jaar,' mopperde ze.

Het was pas halverwege februari. Normaal kwamen ze pas als het weer wat beter werd.

'Hou die hond bij je!' riep de man kwaad toen Chris hijgend aan kwam lopen.

Chris pakte Koesja bij zijn halsband. Koesja zette zijn nekhaar overeind en gromde. Hij leek meer dan ooit op een echte wolf! De man zag er ook griezelig uit. Hij was groot en had kille, lichtblauwe ogen. De wind speelde in zijn vlassige blonde haren. Er liep een litteken schuin langs zijn wang. Misschien was dit toch geen toerist, dacht Chris. Er liep een rilling over haar rug. Toen schopte de man naar Koesja.

'Hoepel op met die hond, zei ik!'

Zijn laarzen misten Koesja op een haar na. Chris sprong onmiddellijk voor haar hond.

'Dit is mijn strand. Wij wonen hier! Als iemand moet ophoepelen, bent u het!' Haar ogen fonkelden van woede.

De man kwam dreigend op haar af. Op dat moment rukte Koesja zich los en beet in zijn arm. De man gaf een schreeuw van pijn. Chris floot kort en Koesja liet de arm met tegenzin los. Hij ging naast Chris zitten, maar bleef de man zo vuil mogelijk aankijken.

Even leek het erop dat de woeste man Chris wilde slaan, maar toen bedacht hij zich. Hij pakte uit het bootje een groot pakket dat met touwen bij elkaar was gebonden. Moeiteloos sloeg hij het over zijn schouder. Hij was zo sterk als een buffel! Geen wonder dat hij er ook zo uit zag. Buffelmans keek Chris nog even woedend aan en draaide zich toen zonder iets te zeggen om. Met grote passen liep hij naar de duinen.

Nu pas merkte Chris dat ze stond te trillen als een pudding die net uit zijn bakje kwam. Zo'n glimmende rode drilpudding met spikkels erop. En met chocola en slagroom ernaast. En toen herinnerde ze zich ineens ook weer dat ze honger had. Er zat niets anders op: ze moest naar huis.

Nieuwe buren

Chris sloop voorzichtig via de voordeur naar binnen. Ze hoopte dat ze de keuken kon bereiken zonder dat haar moeder in de gaten had dat ze weer terug was.

'Sst!' zei ze tegen Koesja, die vrolijk met zijn staart vier jassen tegelijk van de kapstok af kwispelde.

Op dat moment vloog de deur naar de woonkamer open.

'Christina, liefje!'

Mevrouw Appelboom stond in de deuropening. Ze droeg haar beste jurk en straalde van geluk. Chris had nog nooit iemand zo onecht zien lachen.

'Ik dacht al dat ik je hoorde. Heb je een fijne wandeling gemaakt?'

Zelfs Koesja keek verbaasd. Dit was dan ook zeer alarmerend. Mevrouw Appelboom stond meestal te gillen als een fluitketel wanneer Chris er weer eens met Koesja vandoor was gegaan. En nu noemde ze haar ontsnapping ineens 'een fijne wandeling'. Dit kon maar één ding betekenen: er was bezoek. Als er andere mensen in de buurt waren, werd mevrouw Appelboom meestal een heel ander mens. Op gewone dagen liep ze spiedend door het huis om te kijken of er niet per ongeluk ergens een stofje lag. Of hield ze zo lang haar mond op zo'n kwade manier dat de stilte bijna op schreeuwen leek. Meneer en mevrouw Appelboom waren goed in het spelletje 'wie het eerst zijn mond opendoet heeft verloren'. Op die dagen praatten ze via Chris met elkaar. Dan begonnen ze elke zin met: 'Sommige mensen schijnen te denken dat...' Of: 'Sommige mensen menen alles beter te weten, maar...' Met sommige mensen bedoelden ze elkaar, wist Chris. Ze vroeg zich af of ze nou echt niet doorhadden dat zij dat ook heus wel snapte.

Nóg een favoriete hobby van mevrouw Appelboom was het doornemen van haar lange lijst met dingen die verbeterd konden worden aan haar dochter. Waarom droeg Christina altijd die oude spijkerbroek? Waarom liet ze haar haren altijd zo kort knippen? Waarom ging ze niet gezellig op balletles? Andere meisjes waren zó elegant, waarom leek Chris niet meer op hen?' 'Pianoles hoort nu eenmaal bij de opvoeding, Christina. Waarom ben je toch altijd zo dwars?'

Maar als ze bezoek hadden, dan was het andere koek.

'Dit is mijn prachtige dochter Christina,' straalde mevrouw Appelboom. Ze gaf Chris een ferme zet in haar rug, zodat ze de kamer in struikelde. In de woonkamer zaten een man, een vrouw en twee kinderen.

'En dit is de familie Loman,' kwetterde Chris' moeder. 'Geef ze eens netjes een hand.'

De nieuwe burgemeester en zijn gezin, begreep Chris. Haar moeder liet er geen gras over groeien.

Zuchtend liep Chris naar voren met een uitgestoken hand. Ze schaamde zich dood en durfde deze mensen bijna niet aan te kijken. Wat zouden ze wel niet denken? Tot haar stomme verbazing gaf de man haar stiekem een knipoog. Zou hij echt begrijpen hoe opgelaten ze zich voelde?

'Ik ben Erwin Loman,' zei hij. Hij had een warme, rustige stem en vriendelijke ogen. 'Dit zijn mijn vrouw en mijn twee kinderen, Jack en Tessa.'

Chris gaf iedereen een hand. Ze deed dat zo onhandig dat ze er bij Tessa naast greep, en bijna met haar hoofd tegen Jack aan knalde toen ze haar evenwicht verloor. Chris werd rood tot achter haar oren.

Jack was een lange jongen met blonde krullen en een tandpastaglimlach. Precies het soort jongen waar alle meisjes bij haar op school giechelend omheen zouden draaien. Tessa was beslist de droomdochter van mevrouw Appelboom. Ze droeg prachtige kleren en had haar lange blonde haren in een strakke paardenstaart.

'Wat een mooie hond,' zei Jack. 'Hoe heet hij?' Hij aaide Koesja over zijn kop. Chris vond het maar raar dat die vreemde jongen zomaar aan haar hond zat. Eigenlijk beviel het haar niet. Vooral niet omdat Koesja wel erg blij reageerde. Hij was háár hond!

'Koesja,' zei ze kort. Ze trok haar hond aan zijn halsband terug, zodat Jack tenminste met zijn tengels van hem af zou blijven.

'We hebben hem gevonden toen hij nog heel klein was,' koerde Chris' moeder. 'Het arme ding. Je had geen stuiver meer gegeven voor zijn leven.' Ze aaide Koesja afwezig over zijn vacht en veegde toen snel haar hand af aan haar jurk. 'Mijn man en ik hebben náchten bij hem gewaakt. We hebben de dierenarts erbij gehaald, maar die kon ook niets doen. Het was verschrikkelijk.' Mevrouw Appelboom pinkte een denkbeeldig traantje weg. 'Maar na vier dagen stond hij ineens op en likte mijn hand. Ongelofelijk, hè?'

Chris keek verbaasd opzij. Het probleem met haar moeder was dat zij haar eigen verhalen geloofde. Zodra ze iets hardop gezegd had, dacht ze dat het echt waar was. Maar deze keer ging ze wel erg ver.

De familie Loman maakt aanstalten om weer op te stappen. Chris' moeder schoot overeind met de snelheid van een raket.

'Nog een kopje thee?' vroeg ze lief.

Nog voor ze hadden kunnen weigeren, had ze al ingeschonken. Jack, Tessa en hun ouders lieten zich beleefd weer terugvallen in de stoelen.

'Waarom laat je Jack en Tessa niet even je kamer zien, Christina?' zei haar moeder.

Het probleem met Chris' moeder was ook dat ze dingen kon laten klinken alsof ze een vraag stelde, terwijl ze eigenlijk gewoon een bevel uitdeelde. Nog net voordat ze de woonkamer verlieten, hoorde Chris haar moeder vragen: 'Wat doet u eigenlijk voor de kost, meneer Loman? Wát?! Ben u de nieuwe burgemeester? Dat had ik nou nooit kunnen raden!'

Jack en Tessa keken nieuwsgierig rond in de kamer van Chris. Ze vonden het nieuwe buurmeisje maar een vreemd kind. En die moeder was duidelijk niet helemaal lekker. Volgens Tessa kon je daarop zitten wachten als je tussen de koeien ging wonen. Jack hoopte vooral dat zijn ouders snel zouden ontsnappen aan mevrouw Appelboom, zodat ze tenminste weer gewoon naar huis konden. Hij had echt wel in de gaten dat Chris het helemaal niet prettig vond dat ze er waren. En na die eerste keer durfde hij ook niet meer aan haar hond te komen.

Jack bekeek Chris' computer. Tessa liet zich gewoon op het bed neervallen. Haar blonde paardenstaart wipte mee met elke beweging die ze maakte.

'Woon je hier al lang?' vroeg ze. Ze wachtte het

antwoord niet af. 'Wij komen uit de stad. We zijn alleen maar hier naar toe verhuisd omdat mijn vader burgemeester wordt. Het is hier wel een beetje een dooie boel, of niet?'

Chris balde haar vuisten achter haar rug. 'Helemaal niet! Er is hier van alles te doen.'

Wat dan? Koehappen?' Ze lachte om haar eigen grapje.

Chris werd driftig. Hoe durfde die opgeprikte meid haar geliefde Westwijk belachelijk te maken? 'Als je je te goed voelt voor ons, dan ga je maar weer lekker terug naar de stad, hoor. Kan mij niks schelen.' Het kwam er kattiger uit dan Chris bedoelde, maar dat kind werkte op haar zenuwen.

Tessa leek er niet mee te zitten. 'Thuis zat ik op pianoles,' zei ze. 'En op ballet. Hebben ze dat hier ook? Ik zit trouwens in groep 7. Ga jij ook nog naar de basisschool? Jack gaat al naar de middelbare.'

Hield dat kind maar even twee tellen haar kop, dacht Chris. Ze keek stiekem vanuit haar ooghoeken naar Jack. Hij was gewoon achter haar computer gaan zitten alsof het de gewoonste zaak van de wereld was. Chris zou wel willen schreeuwen dat hij overal van af moest blijven, maar ze wist niet hoe ze zoiets moest zeggen. Ze was enig kind en al zo lang alleen geweest dat haar enige vriend haar hond was. Omdat ze een hekel had aan al dat meisjesgedoe had ze op school ook niet veel vrienden. Het leek wel of de meisjes daar nergens anders in geïnteresseerd waren dan in kleding, make-up en jongens. Chris was ervan overtuigd dat Tessa meteen drie miljoen vriendinnen zou hebben op school. Ze was net zo'n meisje als alle andere met haar moderne kleren en haar rugzak van het juiste merk. En Jack was precies zo'n jongen op wie alle meisjes meteen verliefd zouden zijn. Belachelijk. Chris wilde hun net vertellen dat ze maar beter konden ophoepelen, toen Koesja naar Tessa toe liep en zijn kop op haar schoot legde. Chris wist niet hoe ze het had! Het was nog nooit gebeurd dat Koesja iemand aardig vond die zij niet uit kon staan!

'Brave hond,' zei Tessa en ze aaide hem over zijn kop. 'Wat is het er voor een?' vroeg ze. Haar tachtigste vraag in drie minuten. Chris had nog nooit iemand ontmoet die zoveel vragen tegelijk stelde.

'Een herder,' mompelde ze stug. 'Koesja, kom hier!'

Koesja liep met tegenzin terug naar Chris terwijl hij naar Tessa bleef kijken.

'Je ouders hebben hem helemaal niet gered, hè?' zei Jack plotseling. 'Dat heb jij gedaan.'

Chris verschoot van kleur. Hoe wist hij dat? Jack begon te lachen. Chris werd er verlegen van en keek daarom maar narrig naar de grond. Tessa begon te giechelen, maar Koesja duwde zijn grote snuit in Chris' hand en gaf haar een duwtje.

'Niet zo moeilijk te raden, hoor,' zei Jack. 'Hij moet duidelijk niets van je moeder hebben. Maar jou kijkt hij aan alsof je de mooiste op de hele wereld bent.'

Chris voelde hoe haar wangen warm werden en probeerde iets te verzinnen om terug te zeggen. Helaas kon ze niets, maar dan ook helemaal niets bedenken.

Gelukkig wachtte Jack haar antwoord niet af, maar draaide hij zich weer om naar haar computer. 'Je hebt hier een hoop ingewikkelde programma's op staan. Je lijkt wel een hacker.'

'En jij lijkt wel iemand van de Geheime Dienst,' flapte Chris er nijdig uit. 'Je denkt echt alles van mij te weten, hè?'

Jack en Tessa keken geschrokken op.

'Ik bedoelde er niets mee,' zei Jack.

Chris wist dat ze onredelijk was, maar als ze eenmaal boos werd, kon ze niet meer stoppen. Wie dachten deze twee kinderen wel dat ze waren? Met hun verhalen over de stad en hun vader die burgemeester was? Met hun aanstellerige merkkleding en hun stomme nepmaniertjes? Hoe durfden ze zomaar haar kamer binnen te lopen en allerlei dingen te zeggen over haar en haar hond? 'Dat jullie toevallig hiernaast zijn komen wonen, betekent niet dat we vrienden hoeven te worden, hoor. Met een beetje geluk zien we elkaar nooit meer!'

Tessa stond op. 'Ik denk dat we beter kunnen gaan, Jack,' zei ze nuffig.

'O, werkelijk?' sneerde Chris. 'Is het heus? Je hebt natuurlijk de rest van de middag nog nodig om in je balletpakje je piano te poetsen. Precies zoals toen je nog in de stad woonde. Waar alles zo fantástisch was, zo veel beter dan hier.'

Tessa rolde met haar ogen naar Jack.

Jack keek nog even naar Chris en liep toen achter zijn zusje aan, de kamer uit.

Nadat de kamerdeur achter hen dichtsloeg, ging Chris naast Koesja op de vloer zitten en begroef haar hoofd in zijn dikke vacht. Haar woede verdween even snel als hij opgekomen was. 'Dat heb ik weer fijn aangepakt,' zei Chris somber.

'Woef,' zei Koesja.

Chris vond dat hij groot gelijk had: ze hád ook haar mond moeten houden. Wat zouden ze wel niet van haar denken? Ze nam zich voor om Jack en Tessa vanaf nu zo veel mogelijk te ontwijken.

3

Een raar meisje

Chris probeerde zo goed mogelijk te doen alsof er hele-maal geen nieuwe buren waren, maar dat bleek nog lang niet mee te vallen. Heel Westwijk had het over burgemeester Loman. Iedereen had wel een smoesje om even langs het huis te lopen. Of in elk geval een praatje te maken met de familie Appelboom over hun nieuwe buren. Vooral Ciska Beerenpoot hing rond als een hinderlijke vlieg die de hele middag om je neus bleef zoemen. Ciska Beerenpoot was nogal een verschijning. Ze werkte bij de *Westwijker Courant* en dacht dat ze een heel goede journalist was. De meeste mensen vonden eerder dat ze eruit zag als een tover-kol. Ze was ultra dun, had een uilenbril en droeg altijd van die lange flapperende gewaden. Haar haren waren rood geverfd. Ook had ze zoveel armbanden om en oorbellen in dat ze bij elke beweging rinkelde als een brandweerauto. Ciska Beerenpoot stapte zo-maar op mensen af en vroeg ze de raarste dingen.

'Wat vindt u nou écht van de nieuwe burge-meester?'

'Nou... ehm... eh... ik ken hem eigenlijk niet.'

'Ja, maar u heeft dan toch nog wel een méning over hem?!'

Blijkbaar was Ciska Beerenpoot nu van plan om een heel artikel te schrijven over de nieuwe burgemeester. Dat kon bijna niet anders, want Chris had haar al met een verrekijker achter de duinen zien liggen en Koesja had haar betrapt toen ze foto's probeerde te maken vanuit de tuin van de familie Appelboom. De burgemeester gleed net uit over Jacks skateboard toen Ciska's camera flitste. Ook had ze mevrouw Appelboom geïnterviewd, die maar al te bereidwillig was om te verklaren dat de nieuwe burgemeester en de familie Appelboom de beste vrienden waren.

'Ooo, het is alsof we elkaar al jáááren kennen,' hoorde Chris haar moeder zeggen. Haar nek zat vol rode vlekken en ze glom nogal.

Ook op school was het moeilijk om te doen alsof Jack en Tessa niet bestonden. Tessa ging naar dezelfde school als Chris en had op de eerste dag al meer vriendinnen gemaakt dan Chris in haar hele schooltijd. Blijkbaar was iedereen enorm onder de indruk van haar verhalen uit de grote stad. Tessa was pas elf en zat dus een groep lager dan Chris, maar zelfs kinderen uit Chris' klas hadden Tessa al uitgenodigd voor allerlei feestjes.

Jack zat niet bij hen op school. Hij was dertien en zat al in de brugklas van de middelbare school. Maar die ene keer dat hij Tessa was komen ophalen, ging het precies zoals Chris voorspeld had. De meisjes uit haar klas dromden giechelend bij elkaar en fluisterden achter hun hand. De brutaalste van hen was zelfs naar hem toe gelopen en had haar telefoonnummer gegeven.

Chris wist van pure paniek niet waar ze kijken moest en verstopte zich snel achter een boom op het schoolplein. Straks begroette hij haar nog waar iedereen bijstond! Natuurlijk zou ze zichzelf dan meteen weer voor gek zetten. Daar was ze namelijk heel goed in. Van achter de dikke stam keek ze hoe Jack glimlachend het papiertje aannam en in zijn zak stopte. Tot haar afgrijzen liep hij daarna regelrecht op haar af! Chris dook verder weg, maar Jack liep gewoon om de boom heen.

'Hoi,' zei hij.

Chris dacht na over een goed antwoord, maar ze had er nogal veel last van dat de hele school meekeek. De groep meisjes was opgehouden met giechelen.

Ze waren geschokt dat uitgerekend die rare, norse Christina Appelboom Jack goed bleek te kennen!

'Hoi,' zei Chris uiteindelijk maar. 'Zoek je Tessa?'

'Nee, ze wacht daar op me.'

Jack wees achter zich. Chris zag Tessa staan. Ze stond tussen de groep meisjes in. Chris keek weer naar Jack. Zijn blonde haar waaide over zijn voorhoofd.

'O,' zei Chris.

Ze begon zich er behoorlijk aan te ergeren dat ze in zijn buurt alleen maar stomme dingen kon zeggen. Misschien deed hij het erom. Misschien wilde hij haar wel gewoon voor gek zetten bij de andere kinderen.

'Nou,' zei Chris, 'ik moet echt weg. Ik zie je nog wel.'

Ze liep zó snel weg dat ze struikelde. Chris hoorde de andere meisjes lachen.

Jack liep naar haar toe en stak zijn hand uit om haar overeind te helpen. 'Gaat het?'

Chris negeerde zijn hand en krabbelde zelf overeind. 'Niets aan de hand. Mijn veter zat los.'

Ze rende zo ongeveer het schoolplein af.

De hele weg terug naar huis bedacht ze leuke antwoorden die ze had kunnen geven. In haar eentje was dat een stuk makkelijker dan wanneer iedereen keek. Ze nam zich voor om alvast een heel rijtje dingen te bedenken die ze de volgende keer zou kunnen zeggen. Zodat ze tenminste niet nog een keer voor gek zou staan voor de hele school.

Thuis smeet ze haar rugzak onder de kapstok.

Koesja kwam meteen aanrennen en sprong zo blij tegen haar aan dat hij haar bijna op de grond gooide. Chris sloeg haar armen om hem heen.

'Hé, vriend, ga je mee lopen?'

'Wáf!' zei Koesja.

'Christíííína!'

Chris stond meteen op en gebaarde Koesja dat hij stil moest zijn.

'Kom op, we moeten meteen weg!'

Samen met haar hond liep ze snel naar haar kamer en ontsnapte door de tuindeuren naar de duinen.

Deze keer ging ze niet naar het strand. Ze was de ontmoeting met Buffelmans nog niet vergeten en had geen zin hem nog een keer tegen te komen. Chris vond dat ze eigenlijk wel weer voldoende vernederd was geweest voor vandaag. Ze sloeg af naar het grote duingebied dat zich uitstrekte tussen Westwijk en de bollenvelden, die verder landinwaarts lagen. Chris besloot het pad door de duinen te nemen dat naar hotel Zeezicht leidde. Misschien wist Ella wel wat ze moest doen.

Hotel Zeezicht was een van de oudste hotels van Westwijk. Het stond midden in de duinen. Niemand in Westwijk wist van wie het hotel eigenlijk was. Zelfs Ella van Zuilen, die het hotel beheerde, had haar baas nog nooit ontmoet. Ze werkte er nu vijf jaar, maar had hem nog nooit gezien. Ze spraken elkaar alleen over de telefoon of via de e-mail. Chris was dol op

Ella en had vaak gefantaseerd dat zij haar moeder was in plaats van mevrouw Appelboom. Ella leek dan ook helemaal niet op haar moeder. Om te beginnen was ze een stuk jonger, maar ze was ook echt aardig. Hoewel het vaak erg druk was in het hotel, had Ella altijd tijd om een kopje thee te drinken met Chris en naar haar verhalen te luisteren. Chris was al vaak naar hotel Zeezicht gevlucht als haar ouders thuis weer eens bevriezerig deden.

Chris stapte stevig door. Koesja rende dolenthousiast voor haar uit en snuffelde in elk konijnenhol dat hij tegenkwam.

'Nee Koesja! Laat die konijntjes met rust!'

Koesja stopte met graven. Hij had zijn grote zwarte lijf al half in het uitgegraven konijnenhol gepropt toen Chris hem terugriep. Nu stak hij zijn kop omhoog en keek Chris kwaad aan. Zijn neus zat onder het zand. Koesja hield veel van zijn bazinnetje, maar hij kon maar niet begrijpen dat ze niet wilde dat hij achter de konijnen aanzat. Wat had je er nou aan om aan het strand te wonen als zelfs dat al niet meer mocht?

'Stout!' zei Chris streng. 'Als je je niet kunt gedragen, blijf je maar naast me lopen!'

Koesja jankte. Met een gebogen kop sjokte hij naast Chris en keek af en toe zo zielig mogelijk uit zijn ooghoeken omhoog.

Chris lachte. Ze kon nooit boos blijven op hem. 'Toe dan maar,' zei ze.

Koesja rende meteen als een dolle het pad af. Hij liet grote zandwolken achter. Chris hoestte en wreef het zand uit haar ogen. Toen zag ze pas waar Koesja naartoe was gerend. Aan de voet van de duin zat een meisje te huilen. Ze zat in elkaar gedoken en wreef met haar groezelige handen in haar gezicht. Haar wangen trilden ervan. Het was een ongelofelijk dik meisje. Ze had dikke wangen, wel twee onderkinnen en een gedeelte van haar witte buik puilde onder haar T-shirt vandaan. Haar dunne haar hing in slierten om haar kogelronde gezicht. Koesja stond naast haar en likte de tranen van haar wangen.

'Hé!' riep Chris uit de verte. 'Gaat het wel?'

Het meisje keek geschrokken op. Koesja kwispelde toen hij Chris zag aankomen.

'Ben je verdwaald?' riep Chris.

Het gebeurde wel vaker dat toeristen verdwaalden in de uitgestrekte duinen van Westwijk. Chris, die het hele gebied op haar duimpje kende, kon maar niet begrijpen dat mensen zo stom waren.

Het meisje stond op en begon te rennen. Alles aan haar lichaam schudde heen en weer.

'Niet bang zijn!' riep Chris nog. 'Ik doe je heus niets!'

Maar het meisje liep snel door. Koesja danste blaffend om haar heen.

28

Chris holde er nog heel even achteraan, maar haalde toen haar schouders op. 'Dan moet je het zelf maar weten,' mompelde ze. Ze floot naar Koesja, die meteen naar haar toe kwam rennen. 'Wat een raar meisje,' zei Chris tegen hem. 'Waar zou ze vandaan komen?'

'Een vetkamp?' vroeg Chris ongelovig aan Ella.

'Een vakantiekamp voor kinderen met overgewicht,' zei Ella rustig.

'Ja ja, een vetkamp dus.'

Chris lepelde de slagroom van de chocoladetaart die Ella voor haar had neergezet. Koesja lag onder de tafel op een bot te knagen. Het was rustig in het hotel. Ella en Chris zaten in de serre thee te drinken. Zodra Ella Chris' gezicht had gezien, had ze de tafel volgeladen met taart, koekjes en boterhammen met ei, komkommer en mayonaise. Daarna had ze een grote pot thee op het theelichtje gezet. Chris zag dat de *Westwijker Courant* op tafel lag met op de voorpagina een foto van hun nieuwe buurman die uitgleed over een skateboard. HOUDT BURGEMEESTER LOMAN ZICH STAANDE? had Ciska Beerenpoot daar in koeienletters boven gezet. Journalistiek van de bovenste plank, dat was duidelijk. Chris staarde naar de foto.

'Vertel maar,' zei Ella.

Chris vond het heerlijk dat ze Ella nooit iets uit hoefde te leggen. Als ze wel eens met haar eigen moeder probeerde te praten, leek het meer op een politieverhoor. Of mevrouw Appelboom was zelf de hele tijd aan het woord. Maar Ella luisterde. Dus vertelde Chris haar uitgebreid over die twee bloedirritante kinderen die naast haar waren komen wonen. Hoe Tessa de droomdochter van haar moeder was. En dat ze nooit meer terug naar school kon na wat er vanmiddag gebeurd was. Natuurlijk was dat allemaal de schuld van Jack. Ella begon te grinniken.

'Wat nou?' zei Chris.

'Typisch jij,' zei Ella. 'Misschien moet je die Jack en Tessa nog een kans geven. Ze lijken me juist heel aardig.'

Chris schudde haar hoofd over zoveel onbenul, maar kon eigenlijk ook niet uitleggen wat er nou precies verkeerd was aan de nieuwe buren. Om de aandacht af te leiden, begon ze maar weer over de ontmoeting met het dikke meisje.

'Het vakantiekamp voor kinderen met overgewicht is nieuw,' vertelde Ella. 'Dit jaar is het voor het eerst. Het zijn kinderen uit het hele land die hier een paar weken blijven. Ze krijgen ook gewoon les, maar doen verder veel aan sport en worden op dieet gezet. De gezonde zeelucht doet ook wonderen.'

'Dat rare meisje leek me anders niet dolgelukkig,' zei Chris. Ze zette haar tanden in een ei-komkommersandwich. 'Ik vraag me af wat er met haar aan de hand was.'

4

Een pruilerige picknick

Chris was ongelofelijk behendig geworden in het ontwijken van de Bijzonder Blije Buurkinderen. De BBB's, noemde ze hen in gedachten. Ze dook weg achter geparkeerde auto's als ze hen zag aankomen. Ze glipte de tuin in toen ze een keer bij de familie Appelboom aanbelden. Op school bleef Chris in de pauzes binnen om zogenaamd haar huiswerk te maken. Daardoor had ze al zeker een week niet meer voor gek gestaan.

Maar natuurlijk kon je altijd op mevrouw Appelboom rekenen. Net toen Chris dacht dat ze veilig was, stonden de BBB's bij hen in de gang. Mevrouw Appelboom stond ernaast en hield een grote picknickmand in haar handen.

'Wat een ontzettend goed idee, Christina!' straalde haar moeder.

Chris was even in de war: waar hád ze het over?

'Ontzettend lief van je dat je de nieuwe buren wilt rondleiden in ons mooie Westwijk,' zei mevrouw Appelboom, net iets te nadrukkelijk. 'Ik vertelde net tegen die lieve Jack en Tessa dat het helemaal jouw eigen idee is geweest om hen uit te nodigen voor een fijne picknick in de duinen.'

'Woef!' zei Koesja met een diepe blaf. Hij kwispelde met zijn staart of zijn leven ervan afhing. Hij wist heel goed wat een picknick betekende: eten! De hond was buiten mevrouw Appelboom de enige die de picknick een goed plan vond.

Jack en Tessa stonden te dralen en keken verlangend naar de buitendeur. Mevrouw Appelboom had hen gewoon naar binnen gelokt toen ze over straat liepen. Ze hadden moeilijk keihard 'Nee!' kunnen roepen. Hoewel ze er wel even aan gedacht hadden natuurlijk.

Ook Chris was iets minder enthousiast. Ze overwoog te doen alsof ze opeens een fikse buikpijn had. Maar het was al te laat. Mevrouw Appelboom duwde haar de picknickmand in handen en gaf haar een zet naar de voordeur.

'Ik weet zeker dat jullie een heerlijke middag zullen hebben,' zei ze. 'Jullie worden vast en zeker de beste vrienden.'

Chris voelde zich opgelaten. Daar stond ze dan, midden op straat met een belachelijke rieten mand in haar handen. Jack grijnsde naar haar. Tessa keek verveeld.

'Je hoeft niet met ons te gaan picknicken, hoor,' zei Tessa. 'We kunnen ook gewoon doen alsof en dan zeggen we later tegen onze ouders dat we het heel leuk hebben gehad.' Ze keek Chris recht aan. 'En dat we vást en zéker de beste vrienden zijn geworden!' Ze kon mevrouw Appelboom perfect nadoen. Chris wilde het liefst door de grond zakken van schaamte.

'Onzin!' riep Jack. 'Geef die mand maar aan mij. Die draag ik wel. Welke kant moeten we op?'

Nog voordat de twee meisjes iets konden zeggen, begon hij al te lopen. Koesja sprong blij achter hem aan. Hij duwde hebberig zijn neus tegen de picknickmand. Chris en Tessa loerden bokkig naar elkaar, haalden toen hun schouders op en liepen achter Jack en Koesja aan.

Een halfuur later hadden Chris en Tessa nog steeds niets tegen elkaar gezegd. Ze sjokten achter Jack en Koesja aan de duinen in.

Jack en de hond leken het juist ontzettend naar hun zin te hebben. Jack vertelde het ene grappige verhaal na het andere en zat er blijkbaar niet mee dat niemand iets terugzei. Koesja rende rondjes om hen heen en blafte opgewonden.

'Dit lijkt me een mooi plekje,' zei Jack uiteindelijk. Hij zette de picknickmand neer onder een dennenboom aan de voet van een duin. 'We zitten hier ook lekker uit de wind. En kijk, die platte steen kan mooi als tafel dienen.' Hij deed de rieten mand open. Koesja stak meteen zijn grote zwarte kop erin.

Chris liep naar hem toe. 'Koesja, haal je neus daar onmiddellijk uit! Je laat allemaal deuken achter in het eten.'

Jack lachte. Koesja trok zijn kop terug en keek haar verwijtend aan. Rook ze dan niet wat een verrukkelijke dingen er allemaal in die mand zaten?

Jack en Chris zetten alles op de platte steen, die inderdaad veel op een tafel leek.

Chris' moeder had zich uitgesloofd. Ze had een koude kip ingepakt, en een kersentaart. Er waren in chocolade gedoopte aardbeien, een stokbrood en een groot stuk kaas.

Terwijl Jack een fles cola uit de mand haalde, zag Chris dat haar moeder zelfs bordjes, bestek en servetjes had ingepakt. Ze moest wel heel erg graag willen dat haar dochter vrienden werd met Jack en Tessa. Dat was voor Chris een extra reden om het juist niet te willen. Uit haar ooghoek keek ze naar Tessa, die een groot geblokt kleed over het zand had uitgespreid. Ze streek haar rokje glad voordat ze er voorzichtig op ging zitten. Ook Chris en Jack gingen zitten. Ze begonnen te eten.

'Het is mooi hier,' zei Tessa.

'Ik dacht dat je Westwijk zo'n suffe toestand vond,' zei Chris. Meteen wilde ze dat ze haar woorden uit de lucht kon vissen en terug proppen in haar mond.

Tessa tekende kwaaiig met haar vingers strepen in het zand. 'Ik vond het verschrikkelijk dat we weggingen uit de stad,' zei ze. 'Ik had veel vrienden op mijn oude school en hier ken ik nog helemaal niemand.'

Chris wilde meteen zeggen dat dat reuze meeviel. Ze had nog nooit iemand zoveel vrienden zien maken in zo'n korte tijd. Maar voor de zekerheid hield ze haar mond en nam nog een stuk kersentaart.

'Westwijk is gewoon een stuk rustiger dan wij gewend zijn,' zei Jack.

'Nu wel misschien,' zei Chris. Ze spoelde de kersentaart vlug weg met een slok cola. 'Maar in de zomer is het hier enorm druk. Dan zijn er wel tien keer zoveel mensen als normaal.'

'Echt waar? Wat geweldig!' zei Tessa met stralende ogen. 'Wanneer komen ze?'

Chris keek haar verbaasd aan. Ze dacht dat Tessa en zij elkaar wel nooit helemaal zouden begrijpen.

'Jij woont hier al je hele leven, hè?' vroeg Jack. 'Jij hebt hier vast en zeker honderden vrienden.'

Tessa maakte een geluid.

'Wat?' zei Chris meteen.

Tessa wuifde met haar hand. 'Niets. Ik verslikte me gewoon.'

Chris wist dat de meisjes op school haar alles verteld hadden. Ze zag dat Tessa haar lachen in probeerde te houden en voelde zich betrapt. Koesja stak zijn neus in de lucht en snuffelde luidruchtig. Toen draafde hij weg.

'Hij heeft een konijn geroken,' zei Chris.

'Tjee, spannend, zeg,' zei Tessa. Ze geeuwde achter haar hand.

Chris begon er behoorlijk genoeg van te krijgen. Goed, er gebeurde misschien nooit iets spannends in Westwijk. Nou en? Alsof de stad zo leuk was.

Op dat moment kwam Koesja terug. Tot Chris' stomme verbazing zette hij zijn tanden in een kippenpoot en rende ermee weg.

'Hé! Ben je gek geworden!' riep Chris. Ze sprong op en rende achter Koesja aan. Ook Jack en Tessa stonden op. Ze probeerden Chris en haar hond te volgen, maar omdat ze de omgeving niet zo goed kenden waren ze haar al snel kwijt. Hijgend stonden ze boven op het duin en speurden de omgeving af.

'Waar zijn ze zo snel gebleven?' zei Tessa verbaasd.

Jack keek in het rond. Het duingebied was uitgestrekt. Kilometers zanderige heuvels bedekt met helmgras, en overal stonden groepjes naaldbomen. 'Geen idee. Je kunt je hier weken verstoppen zonder dat iemand je zou kunnen vinden.' Toen zag hij iets bewegen. 'Daar!' riep hij.

Jack en Tessa holden naar een groepje sparren dat halverwege het duin groeide. Daar zaten Chris en Koesja naast een heel dik meisje dat aan de kippenpoot kluifde alsof ze in geen weken te eten had gehad. Geen prettig gezicht.

'Een vriendin van je?' vroeg Tessa met een vals lachje aan Chris.

Chris negeerde haar. 'Ik heb haar hier vorige week ook al gezien,' zei ze tegen Jack. 'Toen rende ze weg.'

'Heb je honger?' vroeg Jack vriendelijk aan het vreemde meisje. 'Kom maar met ons mee. We hebben een hele picknickmand vol eten.'

Het meisje keek op. Je zag dat ze twijfelde. Ze leek bang, maar het was duidelijk dat de picknick lokte. Uiteindelijk stond ze toch op en ging met hen mee. Haar kippenpoot hield ze stevig tegen zich aan gedrukt.

Jack, Tessa en Chris wisten niet wat ze zagen toen het meisje eindelijk de picknickmand kon plunderen. De rest van de kip was in een ommezien verdwenen. Ze propte een stuk kaas en vijf aardbeien tegelijk naar binnen zonder op de anderen te letten. Zelfs Koesja at nog netter. Wat een vreemd kind! Chris wist zeker dat ze in het vetkamp logeerde. Daarom had ze natuurlijk zo'n honger.

'Hoe heet je?' vroeg ze aan het meisje.

'Nina,' zei ze, en dronk een glas cola in twee slokken leeg.

'Ik heb je hier nog nooit gezien.'

Nina hield even op met eten omdat ze in de lach schoot. 'Ik zit hier verderop in een kamp,' zei ze.

'Dat vakantiekamp voor kinderen met overgewicht!' zei Chris.

'Het vetkamp,' zei Nina.

Chris draaide zich naar Jack en Tessa.

'Ella vertelde me dat al,' legde ze uit. 'Dat is nieuw in Westwijk. Dit jaar voor het eerst.'

'Ella?' vroeg Jack.

'Een vétkamp?' zei Tessa.

'Voor dikke kinderen,' zei Nina.

'Ze moeten op dieet en doen heel veel aan sport,' zei Chris. 'Ze krijgen daar ook les in plaats van op school.'

Nina keek haar aan of ze gek was geworden. Chris bloosde. 'Dat zei Ella tenminste.'

'Kunnen we daar een keer gaan kijken?' vroeg Tessa. 'Ik heb nog nooit een vetkamp...'

'Een vakantiekamp voor kinderen met overgewicht,' onderbrak Jack haar.

'Ik heb nog nooit zo'n kamp gezien,' zei Tessa. 'Is het ver?'

Nina haalde haar schouders op en trok een zak mini-Marsjes open.

'Na het eten gaan we, goed?' vroeg Jack aan Nina.

Nina keek hem geschrokken aan. 'Dat kan niet!'

'Hoezo niet?' vroeg Jack.

'Het kamp wordt geleid door Nasar. We zijn allemaal bang van hem. Nasar houdt niet van pottenkijkers. De poort zit altijd op slot en niemand mag erin. Wij mogen zelfs het kamp niet uit.'

'Waarom zit jij dan hier?' vroeg Chris meteen. 'Als jullie er niet uit mogen?' Volgens haar loog die Nina dat ze barstte. Ze wilde natuurlijk niet dat zij drieën al die dikke kinderen zagen.

Nina sprong onhandig op. Haar ogen schoten paniekerig heen en weer. 'Geloof me nou maar. Blijf uit de buurt van Nasar!'

En alweer zette Nina het op een lopen. Ze verdween achter de hoge duinen. Chris wilde er meteen achteraan, maar Jack hield haar tegen bij haar arm.

'Laat haar maar. Volgens mij is ze echt bang.'

Chris' ogen fonkelden van woede. 'Geen sprake

van! Dit is al de tweede keer dat ze ervandoor gaat. Nu wil ik wel eens weten hoe dat zit.' Ze trok haar arm los. Koesja sloeg zo hard met zijn staart op de grond dat het zand in het rond stoof.

'Koesja! Je gooit de hele picknick onder het zand!' riep Tessa.

'Laat die picknick. Jij wilde toch wat beleven?' riep Chris. 'Dan gaan we nu op zoek naar dat geheimzinnige kamp!'

Chris begon te rennen, op de voet gevolgd door Koesja. Jack en Tessa keken elkaar aan. Toen gingen ze achter hen aan.

5

Een dood spoor

Jack, Tessa en Chris renden door de duinen. Koesja liep voor hen uit met zijn neus op de grond. Hij had een superneus en kon precies ruiken waar Nina gelopen had. Ze hadden moeite om hem bij te houden.

'Steken. In. Mijn. Zij,' hijgde Tessa. 'Au!'

'Jij. Moest. Toch. Zo. Nodig. Iets. Meemaken?' hijgde Chris terug. 'Zeur niet!' Maar ook zij greep stiekem naar haar ribben.

Koesja had het juist ontzettend naar zijn zin. Zijn staart kwispelde als een ruitenwisser op de hoogste stand en zijn oren stonden helemaal naar voren. Hij had zijn grote zwarte kop tussen zijn poten gestoken om het spoor nóg beter te kunnen volgen. Eerst draafde hij een heel stuk over het pad, maar toen kroop hij onder het prikkeldraad door een beschermd stuk duingebied in. Chris en Jack sprongen achter hem aan over het prikkeldraad heen, maar Tessa bleef eraan hangen.

'Au!' gilde ze. 'Help, ik zit vast!'

Hijgend renden Jack en Chris terug. Tessa zat met haar blonde paardenstaart vastgedraaid in het prikkeldraad. Haar rok was gescheurd en er liep een grote bloedende schram over haar gezicht.

'Niet bewegen,' zei Jack. 'Ik zal proberen of ik je los kan maken.' Hij pulkte aan de paardenstaart.

Tessa jammerde. 'Voorzichtig! O, mijn haar!'

'We kunnen natuurlijk ook haar staart afknippen,' zei Chris onschuldig. In de verte hoorde ze Koesja blaffen. 'Schiet op, Jack! We raken haar kwijt!' zei Chris ongeduldig. Ze keek vol minachting naar Tessa. Dat kreeg je er nou van als je met flauwe stadsmeisjes op stap ging!

Tessa trok met haar hoofd. Er bleven enorme plukken blond aan het prikkeldraad hangen. En toen was ze los!

Jack hield twee draden prikkeldraad zover mogelijk uit elkaar zodat Tessa ertussendoor kon kruipen. 'Waar is Koesja?' vroeg hij.

Chris floot. Even later zagen ze Koesja als een zwarte streep door de duinen naar hen toe komen rennen. Hij liet enorme zandwolken achter.

'Hij lijkt net een racewagen,' giechelde Tessa. De schram op haar gezicht deed nog steeds behoorlijk zeer, maar Tessa wilde zich niet laten kennen. Ze gunde Chris de lol gewoon niet.

Koesja remde vlak voor hun voeten af, schoot door en botste keihard tegen Chris aan. Chris viel om en landde vlak voor Tessa voeten. Ze deed net of ze Tessa's lach niet zag en schudde het zand uit haar korte haar. 'Zoek, Koesja! Zoek Nina!' zei ze.

Koesja zette het meteen weer op een lopen. De anderen draafden achter hem aan. Het was hier een stuk moeilijker lopen dan over het pad. Het zand was mul en zwaar, en er lagen overal takken. Ook stikte het van de konijnenholen waar je met je voet in kon blijven haken. Koesja sprong overal moeiteloos overheen. Maar de anderen zaten inmiddels onder de butsen en de schrammen.

'Geen wonder dat ze dat vetkamp hier hebben gemaakt,' hijgde Tessa. 'Op deze manier is het onmogelijk om dik te worden. Zelfs als je de hele dag Marsen en gevulde koeken eet.'

'Een vakantiekamp voor...' Jack haalde zwaar adem, 'kinderen met overgewicht.'

'Dik dus,' piepte Tessa, die geen lucht meer had van al het rennen, maar toch wel erg graag het laatste woord wilde hebben.

Plotseling stond Koesja stil. Chris, die vlak achter hem liep, remde ook abrupt af. Daardoor botsten Jack en Tessa tegen haar aan en vielen ze alle drie in het zand. Tessa klopte zich nijdig af.

'Ik heb vandaag meer zand gezien dan in mijn hele leven bij elkaar.'

'Dat krijg je ervan als je aan het strand gaat wonen,' zei Chris. 'Stil eens?'

Ze keken alle drie naar Koesja, die rondjes draaide. Hij jankte.

'Heeft hij iets gevonden?' vroeg Jack.

'Volgens mij is hij het spoor kwijt,' zei Chris.

'Hoe kan dat nou? Nina kan toch niet zomaar

verdwenen zijn? Er is hier niets!' zei Jack.

Ze keken om zich heen. Koesja was midden in het duingebied gestopt. Er waren alleen zandheuvels en gras. Geen bomen, geen vakantiehuisjes, helemaal niets. Er was geen plek om je te verstoppen. Maar toch hield het spoor hier op.

'Ik heb wel eens op televisie gezien dat iemand honden voor de gek hield door een stuk door het water te lopen,' zei Tessa.

'Zie jij hier water?' snauwde Chris.

'Het is heel vreemd,' meende Jack. 'Het lijkt wel alsof ze opgestegen is in de lucht.'

'Weinig kans,' grinnikte Tessa. 'Daar heb je een takelwagen voor nodig.'

Chris had er opeens schoon genoeg van dat Tessa zo gemeen deed over de dikke kinderen. Ze vouwde haar armen over elkaar heen en keek Tessa recht aan. 'Wat is er mis met dik zijn?'

Tessa keek haar stomverbaasd aan. 'Wat is er góéd aan dik zijn?'

'Niet iedereen is er de hele dag mee bezig om in de mooiste kleren te lopen. Of om de juiste rugzak te hebben voor school. Of om eruit te zien alsof je in een MTV-clip moet spelen.' Chris propte nijdig haar trui in haar oude spijkerbroek. Zelf was ze niet bepaald dik.

'Nee, sommige mensen zijn de hele dag bezig om zich vol te proppen met patat en cola. En dan vinden ze het raar dat ze moddervet worden. En dat niemand vrienden met ze wil zijn.'

'Dus je moet er precies hetzelfde uitzien als iedereen? En precies hetzelfde vinden als iedereen? Omdat
je anders geen vrienden krijgt?'

Tessa en Chris stonden kwaad tegenover elkaar. Even
leek het alsof ze zouden gaan vechten, maar toen
werden ze ineens bedolven onder een laag zand. Voor
de zoveelste keer die dag. Tessa zuchtte. Chris keek
waar de zandstorm vandaan kwam en zag dat Koesja
een gat aan het graven was. Het zand spatte in het
rond!

'Je moet Nina zoeken, Koesja,' zei Chris. 'Niet op
konijnenjacht gaan! Zoek Nina!'

Koesja blafte en begon nóg fanatieker te graven.

'Ze zal zich toch niet ingegraven hebben?' zei
Chris ineens angstig. Ze wist dat kinderen dat in de
zomer het leukste spelletje vonden op het strand. Dan
groeven ze een gat, gingen er zelf in zitten en lieten
hun vriendjes het gat dichtgooien.

'Nee toch?' zei Jack.

'Dat gat zou wel heel...' Tessa onderbrak zichzelf

toen ze zag dat Chris haar nijdig aankeek. 'Het is wel raar dat ze zomaar verdwenen is,' zei ze daarom maar.

Ze begonnen allemaal met Koesja mee te graven. Koesja hijgde zo hard dat zijn tong ver uit zijn bek hing. Het leek wel of hij lachte! Het gat werd dieper en dieper, maar er kwam geen Nina uit tevoorschijn. Toen ze overeind kwamen, zaten ze alle vier onder het zand.

'Wat nu?' zei Jack.

'Ik weet niet wat jullie doen,' zei Tessa, 'maar ik ga naar huis. Bedankt Christina, het was een fan-tás-tische picknick!'

Ze sloeg nijdig het zand van haar kleren, draaide zich om en liep weg.

'Tessa, wacht!' riep Jack.

Hij draaide zich om naar Chris en zag dat die lekker met haar rug tegen een duin aan was gaan liggen. Ze had haar arm om Koesja heen geslagen en keek naar de lucht.

'Chris, kom op. We moeten achter haar aan. Ze verdwaalt nog!'

'Dat zou ik denken,' grinnikte Chris. 'Ze moet precies de andere kant op.'

'Je hebt het wel over mijn zusje, hoor!' zei Jack.

Opeens schaamde Chris zich. Omdat ze zelf geen broers of zusjes had, wist ze niet hoe dat was. Natuurlijk maakte Jack zich zorgen om Tessa. Hij was zo aardig geweest de hele middag, en nu deed zij dit. Chris hees zich overeind. 'We halen haar nog makkelijk in,' zei ze.

Chris voelde zich ongemakkelijk terwijl ze naast Jack liep. Hij was veel langer dan zij. Opeens wist ze weer niet wat ze tegen hem moest zeggen. Net als toen op het schoolplein. Zelf zei hij ook niet veel. Het enige wat hij wilde was Tessa terugvinden. Het werd al donker en er stak een koude wind op. Chris trok de kraag van haar dikke trui hoger op. Ze kende het duingebied op haar duimpje. Maar toen ze over de volgende heuvel liepen, zag ze iets wat ze daar nog niet eerder had gezien. Op de plek waar de duinen overgingen in het donkere naaldwoud rees een hoge poort op. De grote deuren staken griezelig af tegen de schemering. Boven de poort stond in grote ijzeren letters: DE DOORNROOS. Ze hadden Nina's kamp gevonden!

6

Vakantiekamp De Doornroos

Jack en Chris rilden. Koesja had zijn nekhaar overeind gezet en gromde diep uit zijn keel. Hij vertrouwde het voor geen cent, dat zag je zo. De Doornroos zag er dan ook onheilspellend uit. De hoge poort was de enige ingang. Om het kamp heen was een hoge omheining gemaakt van houten planken. Het stak sinister af tegen de schemering en de opkomende maan. Jack en Chris verstopten zich achter een duin en hielden de poort in de gaten. Koesja lag tussen hen in. Zijn oren stonden vooruit en hij hield zijn ogen strak gericht op De Doornroos.

'Denk je dat ze Tessa hebben?' zei Jack. 'Nee toch?'

Chris hield Koesja vast bij zijn halsband. Hij gromde nog steeds en ze was bang dat hij ervandoor zou gaan.

'Die poort is de enige ingang,' zei Chris, 'en volgens mij zit hij op slot. We komen daar nooit binnen. Ik vraag me af of dat slot erop zit om de kinderen binnen te houden of om pottenkijkers buiten te houden.'

'We moeten het proberen,' zei Jack. 'Vanwege Tessa.'

Op dat moment hoorden ze geritsel achter zich. Ze schrokken zich rot. Koesja sprong overeind en grauwde.

'Jack?'
Het was Tessa!

'Tessa?' fluisterde Jack. 'Waar ben je?' Tessa kwam tevoorschijn van onder een bosje wilde braamstruiken. Haar armen en gezicht zaten onder de krassen die de struiken hadden achtergelaten. Ze leek helemaal niet meer op het stadsmeisje dat vanmiddag mee was gegaan om gezellig te picknicken. Ze begon te huilen en Jack sloeg zijn armen om haar heen.

'Stil maar,' zei hij. 'Wat is er gebeurd?'

Chris keek naar hen. Ze voelde zich plotseling erg alleen en sloeg haar arm om de dikke vacht van haar hond. Koesja likte haar in het gezicht.

'Ik verdwaalde,' snufte Tessa. 'En toen zag ik ineens het kamp. De poort ging open en er kwam een grote zwarte wagen uitgereden. Ik kon me nog net op tijd verstoppen.' Tessa rilde.

Jack trok zijn jas uit en legde die om haar schouders.

Chris aaide Koesja.

'Kom op, we gaan naar huis,' zei Jack. 'Het is donker, en we zijn allemaal koud en moe. Het is wel genoeg geweest voor vandaag.'

Tessa veerde overeind. Ze veegde haar tranen weg. 'Ik dacht het niet,' zei ze.

Jack en Chris keken haar verbaasd aan.

'Er gebeuren hier rare dingen als je het mij vraagt,' zei Tessa. 'Het is niet normaal hoe bang Nina was.

En die zwarte wagen had geblindeerde ramen. Dat zie je op tv ook altijd. Dat betekent dat mensen iets te verbergen hebben. En we zijn er nou toch.'

'We kunnen er niet in,' zei Chris. 'De poort zit op slot, als je dat nog niet gemerkt had.'

'Nina kan er toch ook in en uit?' zei Tessa. 'Er moet dus nog een andere uitgang zijn.' Ze stak haar kin vooruit. Het was duidelijk dat ze van plan was haar zin door te drijven.

Chris bekeek haar vanuit haar ooghoeken. Tessa was misschien toch niet zo'n aanstellerige modepop als ze gedacht had.

'Het kan gevaarlijk zijn,' zei Jack. 'Ze doen niet voor niets zoveel moeite om andere mensen buiten de poort te houden.'

'Wat ben je toch een watje!' riep Tessa kwaad.

Jack hield even op met ademhalen. Toen stak hij zijn kin op dezelfde manier kwaad naar voren als Tessa eerder had gedaan. 'Goed,' zei hij met opeengeklemde kaken, 'we gaan!'

Chris probeerde haar lachen te verbergen. Je kon ineens heel goed merken dat Jack en Tessa broer en zus waren. Ze had het idee dat ze dat zelf niet eens in de gaten hadden.

Chris, Koesja, Jack en Tessa slopen behoedzaam om het kamp heen, maar die houten omheining stond er overal. Je kon er nergens anders in dan aan de voorkant. Er was zelfs geen kiertje tussen de planken te vinden. Aan de achterkant van het kamp ging De Doornroos over in een donker bos. Ze hurkten tussen de bomen en zorgden gespannen dat ze niet betrapt zouden worden.

'Zelfs geen achterdeurtje,' fluisterde Tessa teleurgesteld. 'Wat nu?'

'Naar huis?' zei Jack. 'We kunnen morgen teruggaan als het licht is.'

Op het moment dat hij het zei, baadde het donkere bos ineens in een zee van licht. Ze schrokken zich wild. Ze waren betrapt!

Jack, Tessa en Chris tuimelden achterover. Koesja sprong voor hen en trok zijn lippen op. Hij gromde en zijn tanden blonken gevaarlijk. Maar er gebeurde niets!

Chris krabbelde overeind. 'Het licht komt uit het kamp,' zei ze. 'Het zijn een soort zoeklichten.'

Ook Jack en Tessa gingen staan. Binnen de omheining van het kamp waren heel felle lichten aangegaan.

'Ik kan het niet uitstaan!' zei Tessa driftig. 'Wat gebeurt daar?' Ze keek om zich heen. De lampen uit het kamp waren zo fel dat ze ook een gedeelte van het bos verlichtten. Tessa's oog viel op een stapeltje omgezaagde boomstammen. 'Wat zijn dat?' vroeg ze aan Chris.

'Soms laat de boswachter een paar bomen omzagen,' zei Chris. 'Om de andere bomen meer ruimte te geven. Of als ze ziek zijn. Koesja vindt het vreselijk als er bomen omgezaagd worden.'

'Tjee, geweldig interessant,' zei Tessa ongeduldig. 'Dat bedoel ik dus niet. Help eens even?' Tessa begon aan de bovenste boomstam te sjorren. Het waren sparren, dus de stammen waren heel slank. Toch kon ze er geen beweging in krijgen. Jack en Chris liepen naar haar toe. Ook Koesja pakte een tak die aan de stam vastzat en begon er fanatiek aan te trekken. Hij bekeek Tessa met waardering: eindelijk iemand die snapte hoe leuk het was om aan een stok te trekken! Met zijn vieren slaagden ze erin de stam naar de omheining te slepen. Met een enorme bons viel hij tegen de planken aan. Ze hielden geschrokken hun adem in, maar er gebeurde niets. Chris en Jack haalden opgelucht adem. Tessa liep al naar de volgende stam.

Een uurtje later staken drie hoofden voorzichtig over de omheining heen. Jack, Tessa en Chris stonden op de stammen van de sparren te wiebelen. Koesja stond op de grond naar boven te janken.

'Zeg dat die hond zijn kop houdt,' siste Tessa tegen Chris. 'We mogen niet ontdekt worden!'

Chris klemde zich met één hand vast aan de rand van de omheining. Met haar andere hand gebaarde ze Koesja dat hij stil moest zijn. De stam waarop ze stond wiebelde gevaarlijk. Koesja knorde nog even, maar ging toen braaf naast de drie stammen liggen.

Ze loerden voorzichtig over de rand van de omheining. Binnen de muren was het kamp helemaal verlicht. Ze zagen minstens honderd kinderen die in rijen waren opgesteld. Ze droegen allemaal hetzelfde sportpakje: een rode korte broek en een wit T-shirt waarop met rode letters stond: I ♥ De Doornroos.

'Ze zien er anders niet erg gelukkig uit,' zei Tessa.

'Sssssst!!' zeiden Chris en Jack precies tegelijk.

Tessa hield snel haar mond. Ze had wel gelijk. De kinderen zagen er helemaal niet gelukkig uit. Ze waren allemaal te dik en ze keken behoorlijk bang. Dat was ook niet zo gek. Voor hen stond een man die er gruwelijk sportief uitzag. Zijn spierballen rolden uitsloverig onder zijn shirt vandaan.

'Twintig keer opdrukken!' brulde hij door een megafoon. 'En snel een beetje! Opschieten met die dikke lijven!'

De kinderen gingen liggen en leunden op hun armen. Ze lieten zich door hun ellebogen zakken en kwamen naar boven. De meesten konden er niets van en er klonken kreten van pijn. Sommigen begonnen zelfs te huilen. De man trok zich daar niets van aan. Hij beende met grote stappen tussen de rijen door en schreeuwde nóg harder.

'Jij daar, bolle! Omhoog met die vetrollen!'

Jack, Chris en Tessa hielden hun adem in.

'Kijk, dat is Nina!' fluisterde Jack. Hij wees naar de arme Nina, die op de grond lag te hijgen van de pijn. Plotseling rolde Jacks boomstam weg omdat hij de omheining had losgelaten. Met een doffe dreun viel hij tegen de boomstam van Chris aan, die ook viel. De twee stammen dreunden op de grond. Koesja kon nog net op tijd opzij springen. Met een schreeuw klampte Chris zich met twee armen aan Jack vast. Jack zelf hing nog met één hand aan de omheining.

'Ze hebben ons gehoord!' piepte Tessa angstig. Zo lenig als een aapje klom ze van haar spar af en sprong naast Koesja op de grond.

Jack en Chris hingen hulpeloos aan de omheining. Jack hield zich nog maar met één hand vast en omdat Chris om zijn nek hing, werd het te zwaar. Hij kon het gewicht niet meer houden!

'Spring dan toch!' riep Tessa vanaf de grond. 'We moeten hier weg!'

Jack en Chris keken elkaar aan. Hun gezichten waren vlak bij elkaar. Chris merkte nu pas dat ze allebei haar armen om zijn nek had geslagen. Van schrik liet ze los en viel met een doffe klap op de grond. Gelukkig lag de bosgrond bezaaid met hout-snippers en dennennaalden. Door deze zachte onder-grond brak ze niet al haar botten. Koesja kwam kwis-pelend op haar af en likte haar gezicht er bijna af!

'Springen, Jack!' riep Tessa. 'Schiet dan toch op!'

Ook Jack liet zich vallen. Hij landde precies naast Chris en Koesja.

'Schiet op!' riep Tessa angstig. 'Kom op nou, weg hier!

53

Jack en Chris krabbelden overeind.

'Welke kant op?' vroeg Jack aan Chris.

'Daarheen!' Chris wees. Ze wilden er alle vier gauw vandoor. Maar op dat moment werden ze verblind door het licht van een zaklamp.

'Wat moet dat hier?' bulderde een zware stem.

Het was een stem die Chris zich maar al te goed herinnerde.

7

Buffelmans

Chris, Tessa en Jack knipperden tegen het licht. Koesja gromde en ontblootte zijn tanden.

'Wij houden hier niet van pottenkijkers,' zei de zware stem dreigend. 'En al helemaal niet van een stelletje vervelende, nieuwsgierige kinderen!'

Tessa verstopte zich achter Jack. Haar zin in avontuur was plotseling ver te zoeken.

De man richtte zijn zaklamp nu langs hen heen zodat ze weer iets konden zien.

Maar Chris wist allang wie daar stond. Ze zou die stem uit duizenden herkennen. Het was de man die Koesja een schop had gegeven toen hij zijn bootje op het strand trok: Buffelmans! Nu het licht niet langer in hun ogen scheen, zag ze zijn dunne blonde haren over zijn gemene gezicht hangen. Zijn borstelige witte wenkbrauwen bedekten zijn ogen bijna helemaal en het litteken dat over zijn wang liep werd rood. Zou dit de Nasar zijn waar Nina zo bang voor was? Was Buffelmans degene die de kinderen van het vakantiekamp terroriseerde? Het leek er wel op.

Nasar deed een stap vooruit en de kinderen deinsden geschrokken terug. Koesja gromde nog luider en deed een nijdige uitval. Chris hield hem stevig vast bij zijn halsband, maar de grote sterke herder was zo kwaad dat ze hem bijna niet kon houden.

'Daar heb je die rothond ook weer!' Nasar bekeek Chris van top tot teen. 'Jij bent dat meisje dat zich niet met haar eigen zaken kan bemoeien.'

Chris trilde over haar hele lichaam. Achter zich hoorde ze dat Tessa begon te huilen van schrik. Chris dacht snel na. Ze moesten hier weg, maar zou Nasar hen laten gaan? Vond hij misschien dat ze te veel gezien hadden? Als dat zo was, zag het er niet best uit. Misschien zou hij ze alle vier ook wel opsluiten in zijn kamp. Zouden haar ouders haar gaan zoeken als ze niet thuiskwam? Of zouden ze niet eens merken dat ze weg was? Nee, dat ging te ver. Waarschijnlijker was dat haar moeder deze kans meteen zou grijpen om flink te slijmen met de nieuwe burgemeester en zijn vrouw. Chris kon haar stem nu al horen: 'Oooo, burgemeester, allebei onze kinderen kwijt. We lijken zo op elkaar! Zullen we dan nu maar beste vrienden worden?'

Nasar scheen met zijn zaklamp op Chris.

'We gaan al weg,' zei Chris met een bibberstem. 'Het was niet onze bedoeling om in de weg te lopen. We waren... verdwaald in de duinen.'

Nasar bekeek haar vol woede. Chris merkte dat hij geen woord geloofde van wat ze zei. Het leek alsof hij aan het nadenken was wat hij met hen zou gaan doen.

'Je bent een kleine leugenaar,' zei hij met een valse stem. 'Ik kom jou te vaak tegen. Eerst op het strand en nu weer hier. Ben je mij soms aan het bespioneren?'

Chris wilde roepen: 'Nee! Helemaal niet! Als ik u nooit meer zou zien, zou ik daar helemaal niet mee zitten!' Maar het leek haar geen erg beleefd antwoord. En ze wilde Nasar niet nóg kwader maken dan hij al was. Ze waren daar helemaal alleen in het donker. Hij kon met hen doen wat hij wilde.

Nasar deed nog een stap naar Chris en pakte haar kin tussen zijn duim en vingers.

Koesja gromde vervaarlijk.

Nasar bracht zijn gezicht heel dichtbij en kneep Chris' kin bijna fijn. 'Waarom geloof ik jou niet?'

Nu hield Koesja het niet meer. Hij trok zich los uit Chris' hand en besprong Nasar. Nasars zaklamp viel en hij sloeg achterover tegen de grond. Koesja ging met vier poten over hem heen staan en hield zijn snuit met de scherpe tanden bij Nasars nek. Hij gromde zachtjes, alsof hij wilde zeggen: 'Als je nog één keer aan mijn bazinnetje komt, bijt ik je kop eraf!'

'Snel!' riep Chris tegen Jack en Tessa. 'Rennen! Maak dat je wegkomt!'

'En jij dan?' zei Jack.

'Ik kom achter jullie aan.'

'Ik dacht het niet,' zei Jack. 'Jij gaat met ons mee en Koesja vindt ons vanzelf wel weer.'

'Ik laat mijn hond niet alleen,' zei Chris vastbesloten. 'Schiet op. Rennen. Rénnen!'

'Kom op, Jack,' zei Tessa. Ze trok aan zijn mouw. 'Chris redt zich wel, die heeft Koesja.'

Jack wist niet wat hij moest doen.

'Gá!' zei Chris. 'Je moet die kant op, dan kom je vanzelf bij het pad.'

Jack twijfelde nog even, maar toen rende hij achter Tessa aan. Nu was Chris alleen met Nasar.

'Roep die hond terug!'

Koesja grauwde. Hij beet niet, maar zijn tanden waren zo scherp dat er toch meteen een straaltje bloed langs de nek van de man liep.

'Jij kunt mij geen bevelen geven,' zei Chris. 'Als ik mijn hond zeg dat hij je aan moet vallen, zal hij dat doen. Dus ik zou maar een toontje lager zingen als ik jou was.'

Het klonk stoer genoeg, maar Chris was bang. Hoe moest ze hier wegkomen? Zodra ze Koesja terug zou roepen, kon Nasar weer doen wat hij wilde. 'Ik zal mijn hond terugroepen,' zei ze langzaam. 'Maar jij blijft op de grond liggen totdat je ons niet meer ziet.' Chris deed haar best om haar stem kalm te laten klinken, maar haar hart bonsde zo hard dat ze zichzelf bijna niet kon horen denken. 'Als je iets probeert te doen, zal ik hem opdracht geven je te bijten. Heb je dat goed begrepen?'

Dat zei haar moeder altijd: 'Heb je dat goed begrepen?' Alsof Chris achterlijk was of zoiets. 'Nee, je sprak gewoon Nederlands, maar toch begreep ik niet wat je zei. Zó raar!' Maar nu ze zelf dreigende taal uit moest slaan, kwam het goed van pas.

'Roep hem terug,' zei Nasar zacht.

Chris haalde even diep adem en floot toen kort.

Met frisse tegenzin stapte Koesja weg van Nasar. Maar hij bleef grommen, alsof hij duidelijk wilde maken dat hij met één sprong weer bovenop hem zou kunnen staan als hij dat wilde.

'Blijf liggen,' zei Chris. Ze begon langzaam achteruit te lopen, zodat ze Nasar goed in de gaten kon blijven houden.

'Als ik die hond ooit nog tegenkom, zal ik hem vergiftigen!' riep Nasar haar na. Hij keek woedend en wreef met zijn hand langs zijn nek.

'Liggen blijven, zei ik,' snauwde Chris.

Toen ze de hoek van de omheining bereikte, begon ze te rennen alsof haar leven ervan afhing. Koesja rende hard blaffend naast haar. Hij dacht waarschijnlijk dat ze nu lekker samen op konijnenjacht gingen.

Chris rende en rende, totdat ze steken in haar zij kreeg. Toen ze dacht dat ze ver genoeg was, liet ze zich tegen een duin aan vallen en begon te huilen. Pas nu ze weer veilig was, snapte ze hoe groot het gevaar was geweest. Ze was erg geschrokken. Koesja jankte en likte de tranen van haar wangen. Chris begroef haar gezicht in zijn dikke vacht.

'Chris?'

Chris zag dat Jack en Tessa op haar af kwamen lopen en ze veegde snel haar tranen weg met haar mouw.

Jack rende naar haar toe en omhelsde haar. 'We waren zo ongerust!'

Chris verstijfde. Dit was de eerste keer dat een jongen zijn armen om haar heen sloeg, en ze wist niet of ze dat wel zo prettig vond. Ze maakte zich onhandig los. 'We moeten echt naar huis. Het is al veel te laat.'

Ze liepen met z'n drieën naast elkaar naar huis. De maan scheen helder en verlichtte het pad.

'Het is duidelijk dat er iets niet helemaal lekker zit in De Duinroos,' zei Jack. 'Waarom zou die Nasar anders zo kwaad worden als er iemand komt kijken?'

'We gaan zo snel mogelijk terug!' zei Tessa met stralende ogen. 'En we zullen erachter komen wat daar speelt. Als echte speurneuzen. De Drie van Westwijk!'

'Vier,' zei Chris meteen. 'Koesja mag ook mee-doen.'

'Goed hoor,' zei Tessa ongeduldig. 'De Vier van Westwijk. Ook best. Maar we zúllen uitvinden wat die Nasar verborgen houdt.'

'Maar wat als hij Koesja echt wil vergiftigen?' riep Chris paniekerig. 'Ik ga daar mooi niet meer heen. Ze zoeken het maar uit.'

Tessa stond stil. 'En Nina dan? En al die andere kinderen? Wil je die gewoon aan hun lot overlaten?'

Jack en Chris keken stomverbaasd naar Tessa. Haar liefde voor de dikke kinderen kwam wel heel plotseling op. Tessa haalde haar schouders op. 'Zo erg is het ook weer niet om dik te zijn, hoor. Het zijn gewoon kinderen, net als wij.' Ze liep door.

Jack en Chris wisten even niet hoe ze het hadden. Toen begonnen ze te lachen.

'Ik zoek De Duinroos thuis wel op in mijn com-puter,' zei Chris. 'Ik wed dat ik wel in hun bestanden kan inbreken.'

Jack keek vragend opzij.

'Ik ben inderdaad een hacker,' zei Chris.

'Ik wíst het!' zei Jack tevreden.

8

Ciska Beerenpoot in de bocht

Mevrouw Appelboom was in haar nopjes. Haar dochter was dikke vrienden geworden met de buurkinderen. Jack en Tessa belden elke dag aan en speelden uren met Chris op haar kamer. Dus het was nog maar een kwestie van tijd voordat zij en haar man bevriend zouden raken met de nieuwe burgemeester en zijn vrouw, dacht mevrouw Appelboom. Ze stelde zich voor dat ze voor sjieke etentjes werden uitgenodigd. En voor interessante bijeenkomsten met filmsterren en artiesten en zo. Zo'n belangrijke man moest natuurlijk overal heen. En hij zou mevrouw Appelboom ongetwijfeld meenemen en aan iedereen voorstellen. Zingend stofte ze haar nieuwe Chinese vaas af voordat ze hem terugzette op het dressoir.

Chris kreeg een punthoofd van die vaas. Haar moeder had hem een paar dagen geleden mee naar huis genomen. Ze zei dat ze naar een veiling was geweest en was teruggekomen met de vaas.

'Hij is onbetaalbaar,' straalde ze. 'Een buitenkansje, Christina! Ming-dynastie!'

Ze behandelde de vaas inderdaad als haar kostbaarste bezit. Ze poetste hem op en praatte er zelfs tegen. En als iemand in de buurt van dat protserige geval probeerde te komen, riep ze meteen dingen als 'Voorzichtig!' en 'Die hond gaat naar het asiel als hij nog één keer met zijn staart durft te kwispelen in de Kamer van de Ming!'

Chris wilde dat haar moeder net zoveel van haar hield als van die onbenullige vaas. Maar dat zat er natuurlijk niet in. Ze verlangde er hevig naar het ding stuk te smijten. De enige reden dat ze dat niet deed, was dat het wel goed uitkwam dat haar moeder zo afgeleid was. Chris kon nu tenminste haar eigen gang gaan. Ze moest er tenslotte nog achter zien te komen wat er allemaal in De Duinroos gebeurde!

Jack, Chris en Tessa zaten al drie dagen achter Chris' computer om onderzoek te doen naar het vakantie-kamp voor kinderen met overgewicht. Maar tot nu toe hadden ze nog niets gevonden waar ze iets aan hadden. Jack was vooral geïnteresseerd in hoe Chris in computersystemen kon inbreken, maar Chris liet er niets over los.

'Ik schrijf gewoon een paar regeltjes code,' zei ze vaag. 'Er is niets aan.'

Maar als Jack doorvroeg over het hacken, merkte hij dat Chris dan telkens snel over iets anders begon. Uiteindelijk liet hij het er maar bij zitten.

63

Koesja begreep er niets van dat ze de hele tijd thuis zaten. Wat had je eraan om aan het strand te wonen als je toch de hele tijd binnen bleef zitten? Hij slofte rondjes door de kamer, krabde aan de tuindeuren en liet zich dan maar weer met een enorme zucht aan Chris' voeten vallen. Eén en al verwijt.

'Het enige wat ik kan vinden is die nare brochure van De Duinroos,' mopperde Chris. 'Met foto's van dolgelukkige kinderen erin.'

Tessa boog zich naar het scherm. 'Een gezonde geest in een gezond lichaam,' las ze hardop voor. 'In De Duinroos krijgt uw kind niet alleen uitstekend onderwijs, maar is er ook veel ruimte voor sport en spel. Door een uitgebalanceerd dieet en gezonde buitenlucht is uw kind snel weer op zijn ideale gewicht.' Ze keek naar Jack. 'Wat is dat? Een uitgebalanceerd dieet?'

'Een glas water en een druif per dag,' zei Chris nors. 'En op zondag een heel klein kopje groentesoep. Zodat je er tenminste uitziet als een wandelend geraamte. Want dat is mooi, begrijp je?'

Tessa trok een gezicht. Ze snapte nog steeds niet waarom Chris er zo op tegen was om er leuk uit te zien. En waarom ze het zo geweldig vond om de hele dag in besmeurde lorren rond te lopen die naar hond roken. Dat haar grote broer Jack zoveel moeite voor die narrige Chris deed, daar snapte ze nóg minder van. Bijna alle meisjes uit haar klas waren verliefd op hem, maar hij bekeek ze niet eens!

'Hé, kijk!' zei Jack. Hij wees op het scherm. 'Wat is dat?'

Chris volgde zijn vinger. Hij wees op een blauw vlakje met een wit driehoekje erin.

'De Duinroos hoort bij LaPampa,' lazen ze.

'Wat is dat?'

'LaPampa, dat zijn campings,' zei Chris. 'Er zijn in Westwijk een heleboel campings in de duinen en bij het strand. Voor als in de zomer de toeristen komen. In de winter staan ze meestal leeg.' Haar vingers ratelden over het toetsenbord en de website van LaPampa verscheen op het scherm. Er stonden foto's op van lachende mensen en spelende kinderen. 'Dat geloven we wel,' zei Chris. Ze typte snel een code in.

Jack probeerde te kijken wat ze deed, maar ze was veel te snel. Op het scherm verschenen nu lange reeksen cijfers. Chris typte nog iets in. Ineens zaten ze in het systeem van LaPampa!

'Dat mág toch helemaal niet?' vroeg Tessa geschrokken. 'Inbreken in iemands computer?'

Chris haalde haar schouders op. 'Er mag zoveel niet. Jij wilt die kinderen toch ook helpen?'

'Jawel,' zei Tessa, 'maar kunnen we dat niet doen zonder de wet te breken? Straks moeten we nog naar de gevangenis!'

'Ik ben alweer weg voordat ze zien dat ik binnen ben geweest,' zei Chris. 'Aha!'

'Aha?' vroegen Jack en Tessa tegelijk. Ze hielden op dezelfde manier hun hoofd scheef.

Chris zette de computer uit en draaide zich naar hen toe. 'Van Bovenkerken, dat is de baas van de campings van LaPampa.'

'Ja? En?'

'Dat lijkt me duidelijk,' zei Chris ongeduldig. 'Als De Duinroos ook bij die keten hoort, weet hij er dus meer van.'

'Aha!' zeiden Jack en Tessa tegelijk.

'Ik ben net lid geworden van de schoolkrant,' zei Tessa. 'Misschien kunnen we doen alsof we een artikel schrijven over die campings. Ik wed dat we dan we een afspraak met hem kunnen krijgen.'

Chris bekeek Tessa alsof ze een marsmannetje was. In de acht jaar dat ze op die school had gezeten, had ze nooit geweten dat er een schoolkrant was. Hoe bestond het dat Tessa al meteen lid was?

'Dat is toch juist goed?' zei Tessa onzeker toen ze het gezicht van Chris zag. 'Die Van Bovenkerken kan ons vast veel vertellen over De Duinroos.'

Chris knikte slapjes.

Twee dagen later was het Tessa gelukt. Ze had een afspraak gemaakt met de baas van LaPampa. Ze liepen met z'n vieren over de boulevard naar zijn kantoor. Het waaide hard. Het helmgras op de enkele duinenrij boog helemaal door en de golven beukten tegen het strand.

Chris, Jack en Tessa liepen voorovergebogen tegen de wind in. Alleen Koesja vond het lekker weer: hij stak zijn neus in de lucht en snuffelde luidruchtig. Tessa had een memorecorder onder haar arm. Jack had een fototoestel om zijn nek hangen.

'Oké,' riep Tessa tegen de wind in. 'Dit is dus de afspraak: ik ben de journalist en Jack is de fotograaf. We kunnen niet met zijn vieren naar binnen, want dat staat gek. Dus Chris en Koesja moeten buiten blijven.'

Jack en Chris maakten gebaren naar Tessa dat ze haar niet verstonden door de harde wind. Dat maakte verder ook niet veel uit. Tessa had hun het plan al zo vaak verteld dat ze het achterstevoren hadden kunnen opzeggen als het moest.

Toen ze het gebouw van de *Westwijker Courant* voorbijliepen, kwam net Ciska Beerenpoot naar buiten. Ze droeg een koningsblauw gewaad met een

kraagje van wit bont. Op haar knalrode haar stond een groen hoedje met fruit erop. Ze had ook ongeveer twintig kettingen om en een soort sleutelhangers in haar oren. Waarschijnlijk dacht ze zelf dat ze er fantas-tisch uitzag. Ze keek naar de memorecorder en het fototoestel.

'Willen jullie soms voor de krant gaan werken?'
kakelde ze. Ze lachte hard om haar eigen grapje. Haar
lach klonk als een kippenhok vol gestreste kippen.

'We schrijven een artikel voor de schoolkrant,' zei
Tessa. Achter Ciska Beerenpoots rug maakte Chris
wilde gebaren dat ze haar mond moest houden.

Jack en Tessa kenden Ciska nog niet zo goed, maar
Chris wist precies wat ze van plan was. Al jarenlang stonden er de raarste artikelen van haar in de
Westwijker Courant. Ciska dacht namelijk dat als ze
maar een keer een ongelofelijke primeur te pakken
had, alle landelijke kranten haar zouden vragen om
voor ze te komen werken. Verder had ze irritante
gewoonte om op de meest onwaarschijnlijke plaatsen op te duiken en de boel in het honderd te laten
lopen.

Tessa kwetterde helaas vrolijk door. 'We hebben
een afspraak met de baas van LaPampa.'

Ciska Beerenpoot loerde plotseling zeer listig uit
haar oogjes. Ze stak haar arm door die van Tessa en
lachte een slijmerig lachje. 'Heeft dat misschien te
maken met dat nieuwe vetkamp in de duinen?' vroeg
ze met haar liefste stem.

'Vakantiekamp voor kinderen met overgewicht,'
zei Jack.

Chris kon het niet langer aanzien. Ze wierp zich
tussen Ciska Beerenpoot en Tessa in. 'Weet je nog
dat dat artikel van je vader in de krant stond?' vroeg
ze vriendelijk. 'Met die foto waarop hij uitgleed over

een skateboard? Nou, dat heeft zij gedaan!' Chris wees naar Ciska Beerenpoot, die ineens helemaal niet meer zo vriendelijk lachte.

Jack en Tessa keken haar geschokt aan. Tessa trok meteen haar arm uit die van Ciska.

'Dat was níeuws!' zei Ciska Beerenpoot. 'De mensen willen dat weten.'

Jack en Tessa duwden op precies dezelfde manier hun kin naar voren. Toen draaiden ze zich tegelijk om en liepen zonder iets te zeggen weg.

Chris stak nog even haar tong uit naar de journaliste. Toen liep ze snel achter Jack en Tessa aan.

'We komen voor meneer Van Bovenkerken,' zei Tessa even later tegen de receptioniste. 'We hebben een afspraak. Voor een artikel in de schoolkrant.'

'Nemen jullie even plaats,' zei de opgepoetste dame achter de balie. 'Ik zal kijken of hij beschikbaar is.'

'Wat?' zei Tessa zo beleefd mogelijk.

'Daar zitten,' siste de mevrouw. Ze wees naar een zwarte leren bank die midden in de lobby stond.

Jack en Tessa gingen naast elkaar op de bank zitten. Ze zakten er helemaal in weg. Ze keken om zich heen. Het kantoor van LaPampa was tamelijk sjiek. De lobby was groot en leeg. De vloeren waren van glanzend gepoetst marmer en er stonden overal heel ingewikkelde planten.

'Waarom doet die vrouw zo moeilijk?' fluisterde Tessa tegen Jack. 'We hebben toch gewoon een afspraak?'

'Hij komt heus wel,' fluisterde Jack terug.

Maar het duurde toch nog een hele tijd voordat meneer Van Bovenkerken kwam. En al die tijd zaten Jack en Tessa met zijn tweeën weggezakt in de bank. Ze durfden bijna niet te praten.

Maar uiteindelijk stond de opgepoetste mevrouw op en lachte zo breed dat het niet normaal meer was. 'Meneer Van Bovenkerken,' koerde ze. 'De kinderen van de schoolkrant zitten dáár op u te wachten.'

Meneer Van Bovenkerken was een grote man in een donkerblauw pak. Op zijn stropdas zat een gouden speld en hij had een grote gouden ring aan zijn pink. Zijn haren waren van de ene kant naar de andere over zijn kalende hoofd gekamd, zodat het leek alsof hij nog haar had. Tenminste, dat dacht hij waarschijnlijk zelf. Verder kon iedereen zijn kale kop door de sliertjes haar heen zien. Hij kwam met uitgestoken hand op hen af.

Tessa en Jack hesen zich met moeite uit de zwarte bank om hem een hand te geven toen ineens de hand van Ciska Beerenpoot met rammelende armbanden tussen hen in schoot.

'Meneer Van Bovenkerken! Hallo! Ik ben Ciska Beerenpoot van de *Westwijker Courant*! Ik vroeg me af of u het leuk zou vinden als ik een groot artikel schreef over uw fantastische nieuwe park De Duinroos?'

9

Op zoek naar de uitgang

'Het is toch niet te geloven?' mopperde Tessa. 'Die Van Bovenkerken liet ons gewoon zitten en liep zo met haar mee!'

'Hij wil natuurlijk liever in een echte krant,' zei Chris. 'Wat een nepperd!'

Jack, Chris en Tessa zaten bij Snackpoint Charlie. Dat was de enige patatzaak die in de winter open was. In de zomer verschenen er overal ijskramen en snackbars, maar zelfs dan aten de Westwijkers

zelf alleen maar bij Charlie. Charlie was een dikke man die altijd een omgekeerde basketbalpet op zijn hoofd had. Zijn snackbar was klein, maar gezellig en er stonden overal tafeltjes. Behalve patat verkocht Charlie ook ijs, soep, verse vis en broodjes. Maar het belangrijkste van Snackpoint Charlie was dat Charlie altijd alles wist van iedereen. Omdat alle Westwijkers vaak een patatje of een kroket bij Charlie kwamen halen, hoorde hij alle verhalen. En hij zag er geen kwaad in om alles door te vertellen aan iedereen die het maar wilde horen.

Ze hadden alle drie een enorme ijscoupe besteld. Chris had vanille-ijs met hete chocoladesaus, Tessa een grote sorbet en Jack een chocoladeverrassing met nootjes. Koesja had zijn kinderijsje in één hap naar binnen geslokt en hijgde nu in hun gezicht. Hij hoopte natuurlijk dat hij ook nog wel een hapje van hen zou krijgen!

'Ga weg, Koesja,' zei Tessa. 'Je laat alles smelten als je er zo overheen hijgt.'

Ze lepelden hun ijs weg en keken naar de zaterdagkrant die voor hen op tafel lag. Daarin stond een groot artikel over De Duinroos. Ciska Beerenpoot had zich uitgesloofd.

'Ze heeft gewoon die brochure overgeschreven!' zei Chris met een mond vol ijs. 'Moet je horen: "In De Duinroos krijgen de kinderen niet alleen uitstekend onderwijs, maar is er ook veel ruimte voor sport en spel. Door een uitgebalanceerd dieet en gezonde buitenlucht zijn deze arme kinderen snel weer op hun ideale gewicht."'

'Ze heeft dus gewoon alles opgeschreven wat die Van Bovenkerken haar heeft wijsgemaakt,' mopperde Tessa. 'Zelfs in de schoolkrant staan nog betere stukken!'

Charlie kwam achter de toonbank vandaan om de tafeltjes te boenen. Koesja liep achter hem aan in complete aanbidding. Hij kreeg altijd wel iets van Charlie als hij maar lang genoeg aandrong.

'Hé Charlie,' zei Chris, 'heb jij niet iets gehoord over dat nieuwe kamp in de duinen?'

Charlie snoof. 'Wat een idiote vertoning,' zei hij. 'Een vetkamp! Heb je ooit zoiets belachelijks gehoord?'

'Een vakantiekamp voor kinderen met overgewicht,' zei Tessa.

'Hou toch op!' mopperde Charlie. 'Er is nog nooit iemand doodgegaan van een goeie patat oorlog. En dat mens van Beerenpoot is niet goed snik. Wist je dat ze een hele rondleiding door De Duinroos heeft gehad?'

'Hoe weet u dat?' vroeg Jack.

'Charlie weet altijd alles,' grinnikte Chris.

Charlie haalde een grote zakdoek uit zijn schort en trok de basketbalpet van zijn hoofd. Daaronder was hij volkomen kaal. Hij wreef het zweet van zijn hoofd en zette snel de pet weer op. 'Ze had er een fotograaf mee naartoe genomen. Die heeft hier later zitten eten. Twee frikadellen met mayonaise en een slaatje. Hoe dan ook, hij vertelde me precies hoe dat was gegaan.'

Ze keken naar de foto's in de krant die bij het artikel geplaatst waren. De Duinroos leek daar op een ontzettend leuke vakantieplek. Er waren foto's van lachende kinderen in een zwembad, van kinderen die aan lange tafels knetterblij met elkaar aten en van de mooie omgeving. Geen poort of hek te bekennen. Ook Nasar was niet op de foto gezet.

'Er was geen kind te zien in dat kamp toen die fotograaf kwam,' zei Charlie. 'Ze zeiden dat ze allemaal op schoolreisje waren. Die foto's hadden ze al klaarliggen voor haar van Beerenpoot. En die fotograaf kon z'n fototoestel mooi in zijn tas laten zitten.' Hij zette de lege ijsglazen op een dienblad. 'Willen jullie nog een ijsje?'

Koesja kwispelde zo hard dat zijn staart er bijna afviel. Tessa greep naar haar buik. 'Oef. Er kan geen hap meer bij,' kreunde ze.

Jack en Chris besloten samen nog één ijsje te delen.

'Eén ijsje met twee lepeltjes. Komt eraan,' zei Charlie en hij slofte weer naar zijn toonbank. De kinderen bogen zich opnieuw over de krant.

'Die Ciska Beerenpoot heeft zich mooi in de maling laten nemen,' smaalde Tessa.

74

'Het interesseert haar nooit of het waar is wat ze opschrijft,' zei Chris. 'Ze doet maar wat. Als ze haar stukken maar in de krant zetten. Kijk maar naar dat belachelijke artikel dat ze over je vader heeft geschreven.'

Jack sloeg met zijn vuist op tafel. Chris en Tessa keken geschrokken op.

'We kunnen het aan papa vragen!' zei Jack. 'Waarom hebben we daar niet eerder aan gedacht? Hij is tenslotte burgemeester, dus hij zal wel weten wat zich afspeelt in De Duinroos. Of anders kan hij er makkelijk achterkomen.'

'Ik heb al ingebroken in het systeem van het gemeentehuis,' zei Chris. 'Maar daar kon ik niets vinden over De Duinroos.'

'Ooo, ik wou dat je dat soort dingen niet hardop zei,' jammerde Tessa. 'Als iemand je hoort zitten we meteen achter de tralies. Ik vind het een goed plan, Jack. Laten we het aan papa vragen.'

'Grote mensen beginnen meteen moeilijk te doen als kinderen vragen gaan stellen,' zei Chris.

'Onze vader niet,' zei Jack. 'Kom op!'

Chris verbaasde zich erover hoe goed Jack en Tessa met hun ouders konden opschieten. Maar ze zei er niets over en liep achter hen aan.

Toen Charlie even later terugkwam met één ijsje met twee lepeltjes, trof hij tot zijn stomme verbazing een leeg tafeltje aan. Hij schudde zijn hoofd, ging zitten, stak een van de lepeltjes in de ijscoupe met slagroom en frambozen en nam een grote hap.

'Welnee, jongens, we zijn juist heel erg blij dat De Doornroos naar Westwijk is gekomen,' zei de vader van Jack en Tessa. Burgemeester Loman en zijn vrouw zaten samen aan de keukentafel. Ook zij hadden net het stuk van Ciska Beerenpoot in de *Westwijker Courant* gelezen. Midden op tafel stond een grote gele theepot op een lichtje. Op een schaal ernaast lagen allemaal koekjes. Het was er ontzettend knus.

Dit was de eerste keer dat Chris bij Jack en Tessa thuis was. Ze werd er een beetje verlegen van. De ouders van Jack leken het belachelijk goed met elkaar te kunnen vinden. Haar eigen ouders zaten nooit met zijn tweeën aan de keukentafel te kletsen. Haar vader was meestal op zijn werk en als hij thuis was, verstopte hij zich in zijn studeerkamer. Haar moeder liep altijd zenuwachtig door het huis op weg naar iets heel belangrijks. Na twaalf jaar begreep Chris nog steeds niet waar ze het nu toch precies zo druk mee had. De ouders van Jack en Tessa lachten vrolijk met elkaar. En ze waren lief voor hun kinderen zonder dat er bezoek was. Nou ja, haarzelf niet meegerekend dan.

'Hoe is het met je moeder, Christina?' vroeg mevrouw Loman vriendelijk.

'Goed mevrouw,' zei Chris. Ze kreeg een vuurrode kleur en keek naar haar voeten. Wat zou mevrouw Loman wel niet denken van haar moeder?

'Maar pap, er gebeuren daar ontzettend rare dingen!' riep Tessa ongeduldig. 'Die kinderen zitten achter een hek en de poort is afgesloten. Niemand kan erin of eruit. Dat is toch raar?'

'Hoe weet jij dat allemaal?' vroeg meneer Loman.

'Gewoon,' mompelde Tessa. 'Uit de krant.'

Mevrouw Loman pakte de *Westwijker Courant* op.

'Nee hoor,' zei ze, 'dat staat er niet in.'

'Nou, dan heb ik het zeker ergens gehoord,' zei Tessa onschuldig.

'Jullie hangen toch niet rond op plekken waar jullie niet thuishoren, hè? Je vader is hier burgemeester. We kunnen niet nóg een keer zo'n slecht artikel in de krant hebben.'

'Nee, mama.' Tessa zuchtte. Mislukt.

Tessa, Jack en Chris liepen langs het strand. Zo druk als dat in de zomer was, zo verlaten was het nu. Ze waren de enigen. Het was dan ook nog knap koud voor de tijd van het jaar. Chris gooide stokken in de zee voor Koesja, die hij keurig weer voor haar ophaalde. Door zijn dikke vacht had hij geen last van de kou. Hij vond het heerlijk om in de golven te duiken!

'Goed,' zei Tessa chagrijnig. 'We kunnen niets op internet vinden. Via die Van Bovenkerken komen we nu dus ook niets meer aan de weet. En papa denkt dat De Duinroos een beregezellig vakantiekamp is. We hebben geen enkel spoor meer.'

'We kunnen zelf op de loer gaan liggen,' zei Jack. 'Ik heb voor mijn laatste verjaardag een heel goede verrekijker gekregen. Misschien komen we ergens achter.'

Koesja kwam uit de golven gerend met de stok in zijn bek. Hij ging vlak voor hen staan en schudde zijn vacht uit. De druppels vlogen in het rond.

'Brave hond,' zei Chris.

Tessa zei niets, maar keek behoorlijk chagrijnig terwijl ze de druppels zeewater en zand van haar nieuwe jurk veegde.

Die avond zeiden Jack en Tessa dat ze huiswerk gingen maken bij Chris. En Chris zei tegen mevrouw Appelboom dat ze huiswerk ging maken bij Jack en Tessa. Haar moeder kreeg bijna een hartaanval van opwinding en stelde voor dat ze wel even zou meelopen. Dan kon ze misschien nog even gezellig een kopje koffie drinken met de nieuwe burgemeester en zijn vrouw.

'Dat gaat niet,' zei Chris snel. 'Ze moeten vanavond... ehm...' Ze kon zo gauw niets verzinnen. Toen zag ze haar moeders vaas staan. 'Ze moeten vanavond op bezoek bij de Chinese consul. Een zeer belangrijk man!'

Mevrouw Appelboom sloeg verrukt haar handen in elkaar en wreef ze tot haar knokkels wit waren. 'Is het werkelijk?'

Chris knikte en maakte dat ze wegkwam. Koesja rende achter haar aan. Zijn staart miste op een haartje na de Ming-vaas.

Natuurlijk gingen ze geen huiswerk maken. Jack, Tessa, Chris en Koesja stelden zich die avond verdekt op bij De Duinroos. Met zijn vieren lagen ze op hun buik achter een duin en keken om de beurt door de verrekijker van Jack. Het was saai werk.

'Hoe lang liggen we hier nu al?' steunde Tessa. 'Op televisie is het altijd heel spannend als ze ergens op de loer liggen. Hier gebeurt helemaal niets!'

Het was waar. Het was doodstil in De Duinroos. De lichten in het kamp brandden niet, er klonk geen enkel geluid en de poort zat op slot. Ze verveelden zich te pletter. Het had een spannend avontuur geleken om stiekem op de loer te liggen, maar in werkelijkheid kwam het erop neer dat ze het koud kregen, honger hadden en stijf werden van het klamme zand. Koesja had in het begin nog met zijn oren gespitst naast hen gelegen. Maar toen er niets te zien bleek, draaide hij net zolang rondjes tot hij een kuiltje in het duinzand had gemaakt en ging daarin liggen slapen.

'Ik weet niet wat jullie doen,' zei Tessa, en ze stond krakend op, 'maar ik ga naar huis. Het is nog spannender om verf te zien drogen.' Ze rekte zich uit. Ook Jack, Chris en Koesja kwamen overeind.

'We gaan allemaal,' zei Jack. 'Hier worden we ook niets wijzer van. O, ik kan het niet uitstaan!'

Op dat moment begon Koesja te grommen. In het donker kwam een zwarte Mercedes zachtjes aanrijden. De auto reed zonder licht. Tessa duwde Jack en Chris geschrokken naar beneden. Ze kwamen alle drie met een plof in het zand terecht.

Chris protesteerde luidkeels, maar Tessa legde snel een hand over haar mond.

'Stil! Dat is die zwarte auto die ik toen ook gezien heb!' siste Tessa zacht. 'Toen ik verdwaald was na de picknick!'

Chris duwde Tessa's hand weg. De drie keken gespannen wat er zou gebeuren. Zou dan toch eindelijk de poort opengaan? De auto stopte. Nog steeds gebeurde er niets. Toen zagen ze ineens Nasar naar de auto toe lopen.

'Hoe kan dat?' zei Chris. 'Hoe komt hij het kamp uit? De poort is al die tijd op slot geweest. Ik heb hem niet zien opengaan.'

Koesja gromde.

'Stil toch!' fluisterde Tessa angstig. 'Straks horen ze ons nog.'

Chris legde haar hand in Koesja's nek. Gespannen keek ze wat er zou gebeuren. Het raampje van de auto ging open. Ze probeerde te zien wie erin zat, maar Nasar stond ervoor.

'Laat hem een beetje aan de kant gaan!' zei Jack geïrriteerd. 'Ik kan niks zien!'

'Je doet alsof je in de bioscoop zit,' giechelde Tessa.

'Stil!' snauwde Chris.

Maar nog voor ze iets wijzer waren geworden, ging het raampje alweer dicht en reed de auto weg met gedoofde lichten. Ze zagen dat Nasar niet terugliep naar de poort, maar linksaf sloeg en verdween achter de duinen.

'Kom op,' zei Jack. 'We gaan er achter hem aan!'

10

Betrapt!

In het maanlicht renden ze in de richting waarin Nasar verdwenen was. Chris had Koesja vastgemaakt aan de riem zodat hij hen niet zou verraden. Hij wilde namelijk niets liever dan Nasar inhalen en hem eens flink in zijn enkels bijten. Jack had voor de zekerheid nog aan de poort van De Duinroos gevoeld, maar die was echt op slot. En ze hadden bovendien gezien dat Nasar daar niet door naar binnen was gegaan.

Het was koud deze avond en ze liepen flink door om weer warm te worden. Koesja hield zijn neus aan de grond en volgde een spoor. De riem stond zo strak dat Chris de striemen in haar handen voelde.

'Hij speurt Buffelmans op,' zei ze.

'Hoe weet je dat?' zei Tessa. 'Hij kan net zo goed een konijn hebben geroken. Of een hert.'

Chris snoof.

'Wat nou? Er zijn hier toch zeker herten?' zei Tessa plotseling onzeker.

'Hij is die kant op gegaan,' zei Jack. 'Ik weet het zeker, want aan deze kant loopt alleen maar prikkeldraad.'

Ineens stond Koesja stil. Hij draaide een paar rondjes en liep toen terug. Hij probeerde het spoor terug te vinden, maar het lukte hem niet. Toen duwde hij zijn neus in de hand van Chris en kefte zenuwachtig. Chris aaide hem over zijn kop.

'Het geeft niet, je hebt het goed gedaan.'

Ze liepen verder, maar waar ze ook keken, Nasar was er niet. Het leek wel alsof hij zomaar verdwenen was.

'Misschien heeft die zwarte auto hem opgehaald,' zei Jack. 'Dat kan als hij een rondje om de duinen heeft gereden.'

'Misschien,' zei Chris, 'maar dan zouden zijn voetstappen moeten ophouden bij bandensporen. En die zie ik nergens.'

De maan verdween achter de wolken en plotseling was het heel erg donker. Het was zo koud dat hun adem wolkjes maakte in de lucht. Tessa klappertandde. 'Weet je de weg straks terug in het donker?' vroeg ze aan Chris.

'Koesja brengt ons wel thuis,' zei Chris. 'Die kijkt niet met zijn ogen, maar met zijn neus, dus kan hij altijd de weg terugvinden.'

'Knappe hond,' zei Tessa en ze krauwde hem achter zijn oren.

'Ik kijk voor de zekerheid toch nog even achter deze duinen,' zei Jack. 'Hij kan niet ver weg zijn. Dat bestaat gewoon niet.' Hij liep weg met de verrekijker om zijn hals. Het was zo donker dat Chris en Tessa hem na twee meter al niet meer konden zien.

Tessa sloeg haar armen om zich heen.

Chris speurde in het rond, maar eigenlijk was het te donker om echt goed te kunnen zien. 'Is dit niet precies dezelfde plek waar Nina vorige keer zomaar verdween?' vroeg ze.

'Weet ik veel!' zei Tessa. 'Die duinen lijken allemaal op elkaar. Als je er één gezien hebt, heb je ze allemaal gezien.'

Ineens hoorden ze een gesmoorde kreet. Chris en Tessa keken angstig om zich heen.

'Is dat Jack?' vroeg Tessa angstig. 'Jack?' riep ze zo hard mogelijk.

'Ssst,' zei Chris. 'Als Nasar nog in de buurt is, hoort hij ons!'

De twee meisjes liepen om het duin heen om te kijken waar Jack naartoe was gelopen.

Jack hoorde de stem van Tessa. Hij wilde brullen dat ze zo snel mogelijk weg moesten rennen, maar zijn keel zat dichtgesnoerd door de riem van zijn verrekijker. Meteen nadat hij was weggelopen had Nasar hem te pakken gekregen. Hij had zijn eeltige hand om Jacks mond gelegd zodat hij geen geluid meer kon maken. Daarna had hij de riem van de verrekijker vastgepakt en die stevig om Jacks nek gesnoerd. Jack kreeg bijna geen lucht.

Nasar bracht zijn mond vlak bij zijn oor. 'Die twee meisjes zullen je zo wel komen zoeken, denk je ook niet?' zei hij zachtjes. 'Dan heb ik jullie allemaal in één keer te pakken. Ik hou er namelijk niet zo van om bespioneerd te worden.' Zijn stem klonk laag en gemeen en het leek er wel op alsof hij er bijzonder veel plezier in had om Jack pijn te doen. Jack hoopte uit alle macht dat Chris en Tessa naar huis zouden gaan als hij niet terug zou komen, maar nu hoorde hij hen roepen.

'Jack!'

Het geluid van Tessa's stem kwam dichterbij. Jack probeerde zich los te worstelen, maar Nasar was veel te sterk. Jack raakte in paniek. Hij moest Chris en zijn zusje op een of andere manier waarschuwen! Jack ramde zijn elleboog in Nasars maag, maar die trok daarop alleen maar harder aan de leren riemen. Zijn koude lichtblauwe ogen glinsterden in het donker en hij grijnsde gemeen.

'Daar zal je ze hebben,' siste hij vals.

Jack schopte en worstelde, maar het hielp niets. Tot zijn schrik zag hij Chris en Tessa nu het duin opkomen. Ze liepen regelrecht op hen af!

Juist op dat moment kwam de maan achter de wolken vandaan. Het nachtelijke duinlandschap werd opeens helder verlicht. Eén afschuwelijk moment stonden Jack en Nasar recht tegenover Chris en Tessa. Tessa gilde. Toen sprong Koesja grommend naar voren. Hij rukte zo hard dat de riem uit Chris' handen schoot.

'Roep hem terug of ik breek de nek van de jongen!' snauwde Nasar. Hij gaf een ruk aan het snoer van de verrekijker. Jacks hoofd sloeg achterover. 'Ik meen het!' riep Nasar.

Chris floot. Koesja landde midden in een sprong, maar bleef daarna bokkig tegenover Nasar staan. Hij zwiepte traag met zijn staart heen en weer en al zijn nekhaar stond overeind. Er kwam een laag, dreigend gegrom uit zijn keel.

'Jij!' zei Nasar tegen Chris. 'Bind die hond vast aan het prikkeldraad.'

De arme Chris keek naar Jack. Wat moest ze doen? Nooit zou ze haar hond pijn willen doen, maar ze zag ook dat Jack bijna stikte.

'Nú!' snauwde Nasar.

Chris liep naar haar hond en pakte zijn riem. Ze liep naar het prikkeldraad. Koesja wilde niet mee. Hij trok aan de riem en hield zijn blik strak gericht op Nasar. Chris sleurde hem door het zand.

'Opschieten!' zei Nasar kwaad.

'Doe alsjeblieft wat hij zegt, Chris,' piepte Tessa angstig. 'Jack houdt het niet lang meer.'

Met trillende vingers knoopte Chris de riem van Koesja aan een van de houten palen van het prikkeldraad. Koesja begreep er niets van. Hij jankte en keek Chris aan. Waarom deed ze dat? Waarom kreeg hij straf terwijl hij niet stout was geweest?

'Weg daar!' commandeerde Nasar. 'Ga naast die andere meid staan.'

Koesja jankte zo hartverscheurend dat ook bij Chris de tranen in haar ogen sprongen. Toch liep ze van hem weg en ging naast Tessa staan. Wat kon ze anders?

Nasar gooide een touw naar Chris. 'Bind haar polsen vast! Handen achter de rug,' zei hij tegen haar.

Tessa begon te huilen. 'Wat ben je met ons van plan?'

'Kop dicht! Ik stel hier de vragen,' zei Nasar en hij gaf zo'n gemene ruk aan de riem van de verrekijker dat Jack bijna flauwviel.

Tessa hield snel haar handen achter haar rug en Chris bond met het touw haar polsen bij elkaar. Ze trilde zo verschrikkelijk dat ze bijna geen knopen kon maken. Toen Chris de knopen eindelijk vast had, liet Nasar Jack los. Hij gaf hem een ruwe zet richting Chris en Tessa en trok toen plotseling een pistool. De kinderen hielden van schrik alle drie hun adem in. Koesja blafte oorverdovend. Het zwarte metaal van het wapen glansde in het maanlicht.

'Bind de jongen aan het andere eind van het touw, op dezelfde manier.' Chris rilde van angst.

Jack wilde iets zeggen, maar er kwamen alleen maar schorre geluiden uit zijn keel, waarop de riemen nare striemen hadden achtergelaten.

Toen de kinderen gebonden waren, stopte Nasar zijn pistool achter de riem van zijn broek. Hij stapte op Chris af en bond haar handig met een tweede touw aan Jack en Tessa vast.

'Hebben jullie ouders je nooit verteld dat je niet mag spioneren?' zei Nasar. Hij wachtte het antwoord niet af. 'Lopen,' zei hij en hij gaf een ruk aan de touwen.

Chris verzette zich. 'Ik kan mijn hond hier niet achterlaten,' smeekte ze. 'Laat hem meekomen!'

Nasar lachte gemeen. 'Voor mijn part sterft hij hier van honger en dorst,' zei hij. Hij sleurde de drie kinderen aan het touw mee de duinen in.

Koesja jankte en rukte de paal van het prikkeldraad bijna uit de grond. Ze hoorden hem nog steeds toen ze al een heel eind weg waren.

Chris, die normaal liever haar tong afbeet dan een traan te laten, begon nu ook zachtjes te huilen. Ze wist zeker dat Koesja dacht dat ook zij hem in de steek had gelaten. Net zoals zijn baasjes hadden gedaan toen hij nog maar heel klein was. Ze hoorde hem janken en beet op haar lip om het niet uit te gillen. Haar hond was degene van wie ze het meest hield op de hele wereld. Ze kon het gewoon niet verdragen dat hij zo verdrietig en bang was. Kon ze hem maar laten weten dat ze nog steeds van hem hield. En dat ze hem niet expres had vastgeknoopt om hem te laten verhongeren. Maar Nasar sleepte hen mee door het zand. Hij liep zo hard dat ze telkens bijna struikelden, en de touwen lieten nare strepen achter op hun polsen.

'Waar breng je ons naartoe?' zei Jack. Zijn stem klonk nog steeds een beetje schraperig.

'Heb je niks mee te maken,' snauwde Nasar.

'Onze ouders zullen ons gaan zoeken,' zei Tessa. 'Denk maar niet dat je ons zomaar kan ontvoeren.'

'Ik kan doen wat ik wil,' zei Nasar. 'Heb je niet in de krant gelezen dat zelfs de burgemeester De Duinroos

87

een warm hart toedraagt?' Hij lachte zo eng dat de rillingen over hun rug liepen.

'Onze vader is anders toevallig de bu...' begon Tessa, maar Jack schopte hard tegen haar schenen zodat ze haar mond zou houden. Stel je voor dat Nasar zou weten wie hij gevangen hield? Dat zou het er alleen maar erger op maken!

Chris hoorde Koesja niet meer. Waren ze te ver? Of was hij in het prikkeldraad verward geraakt en ernstig gewond? Chris wist zich geen raad van angst.

Nasar stopte eindelijk. Ze stonden voor de poort van De Duinroos en hij haalde een grote sleutelbos uit zijn zak. Omdat hij het slot moest openmaken, lette hij even niet op. Ze wisselden snelle blikken uit, dit was het moment waarop ze moesten vluchten. Anders zouden ze voorlopig opgesloten zitten. Net op het moment dat ze weg wilden rennen, hoorden ze Nasars stem. 'Dát zou ik maar niet doen als ik jullie was!'

Ze draaiden zich om. Nasar had zijn pistool uit zijn broekriem gehaald en hield hen onder schot. 'Of jullie lopen hier netjes naar binnen, of Ciska Beerenpoot heeft morgen een heel spannend verhaal voor de krant,' zei Nasar. 'Wat zal het worden?'

Een gevaarlijke terugtocht

Nasar grijnsde zijn tanden bloot. Hij porde met de loop van het pistool tegen de zijkant van Chris' hoofd.

'Nou?' zei hij. 'Willen jullie nog steeds vluchten? Of lopen jullie toch liever als brave kinderen met me mee?'

Jack deed woedend een stap in Nasars richting, maar omdat ze nog steeds met een touw aan elkaar vastgebonden zaten, sleurde hij per ongeluk Chris en Tessa mee. Het pistool schampte langs Chris' gezicht en liet een nare schaafwond achter.

'Oeps!' zei Nasar, en hij lachte. 'Dat had je nou niet moeten doen.' Hij leek het enorm naar zijn zin te hebben. Hij lachte zo hard dat hij niet zag dat er een zwarte schaduw op hem af vloog die hem met een klap tegen de grond sloeg.

De kinderen sprongen geschrokken achteruit. Het was Koesja! De grote zwarte herder stond boven op de borst van Nasar en trok zijn bovenlip zover op dat er een indrukwekkende rij scherpe tanden zichtbaar werd. Het leek wel alsof hij stond te wachten totdat Chris zou zeggen dat hij mocht bijten. Er hing nog een klein stukje van de riem om zijn nek. Hij moest hem doorgebeten hebben en achter hen aangerend zijn.

'Koesja!' schreeuwde Chris. Tranen van blijdschap liepen over haar wangen. 'Brave, knappe hond, je hebt ons gevonden!' Ze liet zich naast haar hond in het zand vallen. Jack en Tessa tuimelden aan het touw achter haar aan en ze vielen allemaal om.

Nasar maakte van het moment gebruik. Het volgende wat ze hoorden, was een pistoolschot dat door de donkere nacht knalde. Tessa gilde.

Nasar verdween onmiddellijk in de nacht, maar op dat moment lette niemand op hem.

'Iemand gewond?' schreeuwde Jack in paniek. Alle drie keken ze naar elkaar. Niemand had iets.

Toen zagen ze Koesja. Hij lag op de grond met een grote bloedende wond in zijn schouder.

'Nééé!' schreeuwde Chris. Omdat haar armen nog

steeds achter haar rug gebonden waren, kon ze hem niet vastpakken. Ze legde de zijkant van haar gezicht tegen de kop van Koesja aan. Ook Jack en Tessa bogen zich over Koesja. Niemand dacht meer aan Nasar.

Chris aaide haar hond met haar bebloede wang over zijn kop.

'Niet doodgaan,' jammerde ze. 'Niet doodgaan, alsjeblieft.'

Koesja keek haar aan met zijn trouwe bruine hondenogen. Hij moest er moeite voor doen om zijn ogen open te houden.

'Hou vol, mannetje,' smeekte Chris. 'Ik breng je naar de dokter.'

Maar Koesja deed zijn ogen dicht.

Chris draaide zich naar Jack en Tessa. 'Doe iets!'

'In mijn zak,' zei Jack. 'Een Zwitsers zakmes. Ik kan er niet bij met mijn handen op mijn rug gebonden.'

Chris draaide zich met haar rug naar Jack toe en begon op de tast in zijn broekzak te voelen. Jack keek opgelaten de andere kant op. Maar Chris was zo overstuur over die arme Koesja dat ze niet in de gaten had dat ze het normaal misschien wel vreemd had gevonden om met haar handen in Jacks broekzak te graaien. Eindelijk vond Chris het mes. Tessa wipte het open en begon de touwen door te snijden.

Jack keek op. 'Nasar is weg,' zei hij. Niemand lette op wat hij zei.

Eindelijk had Tessa de touwen doorgesneden. Chris scheurde meteen een stuk van het T-shirt dat ze onder haar trui droeg en verbond de wond in Koesja's schouder zodat die minder zou gaan bloeden. Koesja haalde zwaar adem en deed zijn ogen niet meer open, wat Chris ook zei.

'We moeten hem bij de dierenarts zien te krijgen,' zei Chris wanhopig. 'Hij gaat dood. Hij heeft veel te veel bloed verloren!' Ze probeerde hem op te tillen, maar hij was vreselijk zwaar.

'Hier, neem mijn jas,' zei Jack. 'Als we hem daarop leggen, kunnen we allemaal een kant pakken. Met zijn drieën kunnen we hem wel dragen.'

Chris huilde toen ze de gewonde hond op Jacks jas sjorden. 'Hij gaat dood omdat hij ons probeerde te redden!' zei ze. 'Terwijl ik hem gewoon aan een paal geknoopt achtergelaten had.'

'Aan dat soort geleuter hebben we nu niks,' zei Tessa kwaad. 'We moeten hem hier weg zien te krijgen!'

Hoe raar het ook was, dit leek precies wat Chris nodig had om te horen. Ze hield op met huilen en rechtte haar rug. 'Laten we gaan,' zei ze. 'Het pad is die kant op.'

Maar dat bleek makkelijker gezegd dan gedaan. Het was donker en Koesja was loodzwaar. Hijgend ploegden ze door het zand met de gewonde hond op de jas tussen hen in.

'Wat weegt dat beest eigenlijk?' hijgde Tessa.

'Wees blij dat niet een van ons gewond is geraakt,' snauwde Jack. 'Houd je mond.'

Chris keek hem dankbaar aan. Jack was de enige die begreep hoeveel ze van Koesja hield.

'Denk je dat hij op een van ons schoot?' vroeg Tessa.

'Ik weet het wel zeker,' antwoordde Jack. 'Hij is er gek genoeg voor.'

'Daar is het pad!' schreeuwde Chris. 'Eindelijk!'

Tussen hen en het pad stond een hek met overdreven veel prikkeldraad. Ze legden Koesja voorzichtig op de grond en trokken het onderste gedeelte van het hek los. Daarna sprong Jack behendig over het prikkeldraad heen en begon aan de jas te sjorren.

'Voorzichtig,' piepte Chris.

'Veel gewonder dan dit kan hij niet worden,' zei Tessa, maar ze hield snel haar mond toen ze zag hoe woedend Chris haar aankeek.

Nadat Koesja aan de andere kant van het hek lag klommen Tessa en Chris ook over het hek. Ze pakten allemaal een punt van de jas en begonnen weer te lopen.

Het schoot niet erg op. Ze waren moe en hadden het koud. Ze konden de jas met de zware hond erop bijna niet houden. Toen zagen ze op de weg twee koplampen in de verte verschijnen.

'Een auto!' riep Chris. 'Houd hem aan!'

'Wat als het die zwarte Mercedes is?' zei Tessa angstig.

'Kan me niet schelen!' riep Chris. 'Koesja moet nú naar de dierenarts.'

Nadat ze de hond in de berm hadden neergelegd, gingen ze midden op het pad staan en zwaaiden wild met hun armen. De auto kwam snel dichterbij en stopte met piepende remmen. Blijkbaar had de chauffeur hen pas op het allerlaatste moment gezien. Het portier ging open.

'Zijn jullie nou helemaal besodemie... Chris?! Wat doe jij nou hier?'

In het licht van de koplampen zag Chris pas wie het was. Ze viel hem in de armen. 'Charlie!' Ze begon te huilen.

Charlie duwde zijn basketbalpet naar achteren en sloeg zijn dikke armen om Chris heen. 'Stil maar, liefie, wat is er aan het handje?'

Chris maakte zich los. 'Koesja moet naar de dierenarts. Nu. Hij is neergeschoten. Ik kan het allemaal niet uitleggen, maar wil je ons alsjeblieft zo snel mogelijk brengen?'

'Komt voor de bakker,' zei Charlie. 'Spring maar achterin.'

Charlie had een oude pick-uptruck. Het was een roestige rammelkast met een heel grote laadbak. Daar vervoerde hij altijd spullen in voor zijn snackbar. Charlie tilde voorzichtig de jas met Koesja erop in de laadbak.

'Die is er niet best aan toe,' zei hij. 'Wat hebben jullie gedáán?'

'Geen tijd,' snauwde Tessa. 'Rijden!'

Chris en Jack sprongen bij Koesja achter in de

laadbak. Tessa kroop naast Charlie in de cabine. Charlie startte de motor en scheurde weg.

In de laadbak moesten Jack en Chris zich vasthouden aan de zijkanten om overeind te blijven zitten. Koesja kreunde. Chris ging op haar knieën naast hem zitten en sloeg haar armen om hem heen. De hond haalde moeizaam adem.

'Hou vol, Koes,' fluisterde ze. De tranen liepen alweer over haar wangen. 'Hou vol, we zijn er bijna.'

Jack zag hoeveel verdriet Chris had. Onhandig sloeg hij zijn arm om haar heen. En deze keer liet Chris zich troosten.

In de cabine vertelde Tessa aan Charlie wat er die avond bij De Duinroos gebeurd was.

Charlie schudde zijn hoofd. 'Ik heb altijd al gezegd dat het daar niet helemaal snor zat. Maar denk je dat ze naar mij luisteren? Welnee, laat die ouwe Charlie maar kletsen.' Charlie begon allerlei voorbeelden op te noemen van situaties waarin hij gelijk had gehad zonder dat de mensen hem geloofd hadden.

Maar Tessa luisterde al niet meer. Door de smerige voorruit van de pick-uptruck zag ze in de verte de zwarte Mercedes de weg opdraaien. In gedachten herhaalde ze voor zichzelf net zolang het nummerbord totdat het in haar geheugen gegrift stond.

12

Het geheim van Nasar

Koesja lag op de stalen behandeltafel van de dieren-
kliniek. Chris hield hem vast terwijl dierenarts Van
Dam de wond onderzocht. Hij stond over de hond
gebogen en mompelde alleen maar dingen als: 'Ja ja'
en 'Zo zo'. Chris wilde wel schreeuwen dat hij moest
zeggen wat dat betekende, maar ze was zo overstuur
dat er geen woord uit haar mond kwam.

Tessa en Jack waren inmiddels naar huis gegaan.
Jack had bij Chris willen blijven, maar hij wilde niet
nóg verder in de problemen komen. Ze hadden hun
ouders immers gezegd dat ze huiswerk zouden gaan
maken en het zou veel te veel opvallen als ze nog
langer wegbleven.

Eindelijk richtte Van Dam zich op. Hij keek Chris
aan over zijn halve brilletje. 'De hond moet geopereerd worden,' zei hij. 'De kogel moet eruit.'

Chris slikte. 'Is dat gevaarlijk?'

'Hij overleeft het wel,' zei Van Dam.

Van opluchting begon Chris bijna weer te huilen.
Haar dappere, lieve Koesja was voor de tweede keer
in zijn leven bijna dood geweest. En weer zou hij het
toch nog op het nippertje redden!

'Je kunt hem morgen weer komen ophalen,' zei

Van Dam. 'Hij zal nog wat duizelig zijn van de operatie. En de eerste dagen daarna zal hij pillen moeten slikken tegen de pijn. Bij elkaar komt dat neer op ongeveer vijfhonderd euro.'

Chris' opluchting verdween even snel als hij gekomen was. Waar haalde ze zo snel vijfhonderd euro vandaan? Van haar ouders? Meneer en mevrouw Appelboom zagen haar aankomen! Ze trok haar schouders recht en keek Van Dam aan. 'Geen enkel probleem,' zei ze. 'Ik betaal u als ik hem kom halen.'

De hele weg terug naar huis bedacht Chris hoe ze haar ouders zo ver kon krijgen dat ze de dierenartsrekening zouden betalen. Uiteindelijk bedacht ze dat het nog het makkelijkst was om het via de ouders van Jack en Tessa te spelen. Haar moeder had hun immers verteld dat zij en meneer Appelboom Koesja destijds gered hadden, dus het zou heel raar staan als ze hem nu gewoon zouden laten stikken. Mevrouw Appelboom zou nog liever ontploffen dan aan de nieuwe Belangrijke Buren toe te geven dat ze tegen hen gelogen had.

Er was één probleem bij deze oplossing: de burgemeester en zijn vrouw zouden dan meteen ook begrijpen dat Koesja was neergeschoten. Ze zouden waarschijnlijk wel willen weten waarom Chris hun kinderen in de buurt van een pistool had gebracht. Ze kwamen uit de grote stad, dus misschien waren ze wel wat gewend. Aan de andere kant dacht Chris dat ze haar waarschijnlijk niet zo'n geschikt vriendinne-tje voor hun kinderen zouden vinden als ze hoorden dat ze beschoten waren. En hoewel Chris het nooit hardop zou toegeven, was ze stiekem ontzettend blij dat ze eindelijk twee vrienden had gemaakt.

Chris schudde haar hoofd. 'Geen goed plan,' mom-pelde ze.

Toen dacht ze weer aan Koesja. Van Dam zou hem nu wel aan het opereren zijn.

'Wáárom niet?!' Chris stond met een rood hoofd tegenover haar ouders. Haar vuisten waren gebald en haar ogen fonkelden woedend. Hoewel ze eigenlijk wel van tevoren had geweten wat haar ouders zouden zeggen, was ze toch heel boos. Waarom konden haar ouders niet gewoon aardig zijn, zoals andere ouders? Waarom maakten ze overal zo'n toestand van? Waarom konden ze niet gewoon van haar houden?

'Je denkt toch niet dat we vijfhonderd euro gaan uitgeven aan die straathond?' lachte haar moeder vrolijk. 'Stel je voor zeg, dan kunnen we wel aan de gang blijven. Nee Christina, je moet wel realistisch blijven.'

Chris bleef er zowat in. Realistisch blijven? Dat moest haar moeder nodig zeggen!

'Maar hij gaat dood als hij niet geopereerd wordt!' kermde Chris.

'Christina Appelboom, je hebt je moeder gehoord!' bulderde haar vader. 'We betalen niet, en daarmee uit!'

'Maar...'

'En hoe komt die hond trouwens aan een gebroken schouder?'

Chris had voor de zekerheid de woorden 'kogel' en 'neergeschoten' maar niet gebruikt toen ze vertelde wat er met Koesja was gebeurd. Het leek haar veel verstandiger om te zeggen dat hij iets gebroken had. Dat scheelde weer een hoop overbodige discussies.

'Konijnenhol,' mompelde ze met gebogen hoofd.

'Wat?'

'Hij is gestruikeld in een konijnenhol toen ik hem uitliet.'

Mevrouw Appelboom rolde met haar ogen naar haar man. 'Niet te geloven, hè, schat?' lachte ze slijmerig.

Dat deed ze wel vaker. Ze probeerde dan te doen alsof zij en haar man het heel leuk hadden met zijn tweeën door Chris samen belachelijk te maken. Het mislukte deze keer. Meneer Appelboom liep de kamer uit. Mevrouw Appelboom keek naar Chris alsof dat haar schuld was.

'Discussie gesloten,' zei ze. 'Ga naar je kamer.' Ze draaide zich om op haar hoge hakken en liep achter haar man aan.

Chris draalde door haar kamer. Ze had al met Jack en Tessa gebeld, ze was achter haar computer gaan zitten, ze had geprobeerd om een boek te lezen. Maar niks hielp. Haar kamer was koud en leeg zonder Koesja.

Ze kon niet slapen zonder dat hij naast haar lag. Ze miste het geluid van de trippelende nagels over de vloer die ze altijd achter zich hoorde. En de grappige knorretjes die hij maakte als hij sliep. Het liefste had ze de dierenarts gebeld om te vragen of alles goed was met hem, maar daar was het veel te laat voor.

Midden in de nacht besloot ze naar de keuken te gaan om iets te eten. Ze had honger. Op haar tenen sloop ze de trap op, langs de slaapkamer van haar ouders. Een plank in de vloer kraakte toen ze erop stapte. Chris bleef stokstijf staan om te horen of er iemand wakker werd. Maar alles bleef stil. De gordijnen in de keuken waren niet dicht en Chris zag de maan vol aan de hemel staan. Ze opende het raam. In de verte hoorde ze de zee ruisen. Ze probeerde zo goed mogelijk niet aan Koesja te denken. Maar elke keer als ze dat per ongeluk toch deed, kreeg ze steken in haar maag. Hoe moest ze haar hond redden?

Ze opende de koelkast op zoek naar iets eetbaars. Ze zag een restje lasagne staan en zette de schaal in de magnetron. Ze rommelde in een van de laatjes en kwam een doos bonbons tegen. Van haar moeder waarschijnlijk. Chris pakte de bonbons ook. Haar moeder werd toch te dik.

De magnetron begon te piepen. Chris sprong eropaf en zette hem uit. Het laatste waar ze nu zin in had was dat haar ouders wakker werden.

Met de hete lasagneschaal in een theedoek in haar ene hand en de doos bonbons in haar andere hand wiebelde ze naar de woonkamer. Ze liep langs haar moeders vaas, haar trots en glorie. Ze bekeek het ding vol walging. Dat kreng had waarschijnlijk meer dan vijfhonderd euro gekost, dacht Chris nijdig. Ze propte twee bonbons met crèmevulling in haar mond en prikte in de lasagne. Waarschijnlijk héél wat meer. En toen kwam ze voor het eerst die avond ein-de-lijk op een goed idee.

De volgende ochtend in alle vroegte liep Chris het huis uit met een kostbare buit verborgen in een grote rugzak. Ze had de halve nacht achter haar computer gezeten om uit te zoeken waar je tweedehandsspullen kon verkopen. En nu was ze op weg naar een pandjeshuis. In al die jaren dat ze in Westwijk had gewoond, had ze nooit geweten dat er zo'n winkel bestond. Het pandjeshuis lag dan ook in een gedeelte van Westwijk waar ze eigenlijk nooit kwam, net buiten de dorpsgrenzen. Het was een heel eind weg. Ze moest eerst de bus nemen en toen nog een heel stuk lopen. Op internet had ze de route opgezocht en uitgeprint. Achteraf gezien was dat maar goed ook, want zonder een kaart was ze zeker verdwaald.

Het pandjeshuis had geen naam en lag in een steegje achter een industrieterrein. Chris voelde zich niet erg op haar gemak. Na een verwarrende zoektocht vond ze de ingang, die goed verstopt was aan de zijkant van de winkel. Ze begon zich af te vragen of het plannetje dat ze vannacht bedacht had eigenlijk wel zo goed was. Maar toen dacht ze weer aan Koesja, haar arme dappere hond die erop vertrouwde dat zij ervoor zou zorgen dat alles goed kwam. Dus duwde ze de deur open. Het was gewoon een kwestie van even doorzetten.

De winkel leek verlaten. Het was er donker en er stonden allerhande spullen opgestapeld van de vloer tot aan het plafond. Chris keek om zich heen. Er hing een raar sfeertje in de winkel.

'Hallo?' riep ze. 'Is daar iemand?'

Haar woorden bleven hangen tussen de talloze tafels en kasten en vitrines met uitgestalde spullen.

'Hallo-oo?' riep ze nog maar eens. Ze wilde maar dat ze Koesja bij zich had. Als hij naast haar stond, was ze nooit bang. De meeste mensen keken wel beter uit dan ruzie te zoeken met iemand die een grote zwarte wolf bij zich had staan.

Toen hoorde ze voetstappen. Ze keek in de richting waar het geluid vandaan kwam. Achter een mottig olijfgroen gordijntje kwam een oude man tevoorschijn. Hij was helemaal kromgegroeid en had dun grijs haar dat in slierten om zijn gerimpelde gezicht hing.

'Ja?' zei hij. Hij bekeek Chris van top tot teen en leek verbaasd te zijn iemand als zij in zijn winkel te zien. Hij probeerde vriendelijk te glimlachen. Chris zag dat hij twee voortanden miste. 'Kan ik je ergens mee van dienst zijn?' zei de man. Hij ging achter de stoffige toonbank staan.

Chris liep ernaartoe en begon voorzichtig haar rugzak open te maken. De man zette grote ogen op toen de Chinese Ming-vaas tevoorschijn kwam.

'Hoe kom jij aan die vaas?' zei hij. Hij kon zijn verbazing maar nauwelijks verbergen.

Chris kreeg het ineens heel erg warm. Ze mompelde iets onverstaanbaars.

De man lachte ineens zijn bruine tanden bloot. 'Nou ja, alsof mij dat wat kan schelen. Wat moet je ervoor hebben?'

Uit haar ooghoek zag Chris het olijfgroene gordijntje bewegen. Een hoofd dat hen stiekem had staan beloeren verdween er snel achter. Maar het was te laat: Chris had hem al herkend. De opvallend blauwe ogen, het litteken, het vlashaar. Na alles wat ze die nacht hadden meegemaakt zou ze zijn gezicht uit duizenden herkennen. Maar wat deed Nasar hier? En toen ineens begreep ze het.

'Wat doet híj hier?!' zei ze tegen de pandjesbaas.

'Wie?' De oude man deed net alsof hij niet wist waar Chris het over had.

'Nasar!' zei Chris. Ineens bedacht ze dat het niet zo handig was als de oude man zou denken dat zij en Nasar vijanden waren. Ze zette haar liefste glimlach op. 'Hij is ehm... een oude vriend van de familie. Wat ontzéttend leuk om hem weer eens te zien!'

Chris schrok van zichzelf. Haar stem klonk ineens heel erg als die van haar moeder. Niet best.

De pandjesbaas keek haar verbaasd aan. 'Een vriend?'

Chris knikte zo hard dat het een wonder was dat haar hoofd niet van haar nek af stuiterde. 'Wat doet hij hier?'

'O, we doen wel eens zaken,' zei de oude man vaag. 'Hij heeft wel eens interessante spullen. Verder niks bijzonders.'

Alsof tientallen puzzelstukjes uit zichzelf op hun plaats vielen snapte Chris ineens waarom Nasar de leiding wilde hebben over het vakantiekamp voor kinderen met overgewicht, waarom hij zo raar reageerde op pottenkijkers en waarom hij Jack, Tessa, Koesja en haar die avond had willen laten verdwijnen. Ook dacht ze meteen aan de keer dat ze hem voor het eerst ontmoette, toen hij een groot pak uit het bootje trok. Ze moest onmiddellijk Jack en Tessa waarschuwen!

'Vijfhonderd euro en de vaas is van u,' zei ze.

'Verkocht,' zei de oude man.

Oude en nieuwe vrienden

De hele weg terug met de bus hield Chris het pakje bankbiljetten in haar broekzak stevig vast. Ze reden eerst door de buitenwijken van Westwijk, waar de uitgestrekte bollenvelden met hun prachtige kleuren plaatsmaakten voor gloednieuwe villawijken.

Westwijk was een heel oud dorpje, maar de laatste jaren waren er aan de randen van het dorp nieuwe huizen gebouwd. Het ene was nog protseriger dan het andere. Sommige mensen hadden beelden van Griekse goden in hun tuin staan. De bedoeling was dat die beelden er heel oud uit zouden zien, maar omdat ze nog maar net gemaakt waren, deed het wit gewoon pijn aan je ogen. De mensen die in die villa's woonden vonden dat zelf vast heel sjiek. Maar zelfs mevrouw Appelboom had er geen goed woord voor over.

De bus hobbelde verder. Chris probeerde haar gedachten op een rijtje te krijgen. De pandjesbaas hoefde blijkbaar niet te weten waar de spullen die hij kocht vandaan kwamen. Hij stelde in elk geval geen vragen. En hij deed dus ook zaken met Nasar. Het was logisch dat de man niet veel had losgelaten. Hij had het vaag afgedaan door te zeggen dat ze 'zaken deden'. Hij zou Chris echt niet wijzer maken dan ze was, dat snapte zij ook nog wel. Maar wat had iemand die de leiding had over een vakantiekamp voor kinderen met overgewicht te zoeken in een winkel die handelde in gestolen spullen? Volgens Chris kon dit maar één ding betekenen: het vetkamp was een dekmantel voor iets heel anders. En dat verklaarde meteen waarom Nasar er alles aan deed om nieuwsgierige kinderen weg te houden bij De Duinroos. Dat was helemaal niet omdat hij daar rare dingen met de kinderen deed. Zou het kunnen zijn dat hij zijn echte zaken wilde verbergen? Chris schudde met haar hoofd. Ze moest Jack en Tessa gaan zoeken. Zij moesten dit weten.

'Westwijk aan Zee. Hoofdstraat,' kraakte de stem van de buschauffeur door de microfoon. Hij liet de bus met onnodig veel geweld van de weg af zwenken, de bushalte in. De mensen die bij de deur stonden te wachten om eruit te gaan, stonden te zwaaien op hun benen en botsten tegen elkaar aan. 'Pardon,' zeiden ze beleefd tegen elkaar, zonder elkaar aan te kijken.

Hoewel het haar halte niet was, besloot Chris ook uit te stappen. Haar school was vlak bij de Hoofdstraat en misschien kon ze Tessa daar vinden.

Een uurtje later schuifelde Chris met gebogen hoofd het schoolplein van Jacks school op. Ze had eerst Tessa overal gezocht, maar kon haar nergens vinden. Ze had het aan de vervelende giechelmeisjes gevraagd, maar

die zeiden alleen maar 'hihihi' voordat ze snel door-
liepen. Chris vroeg zich serieus af hoe dom je kon
worden. In het lokaal waar de schoolkrant gemaakt
werd, had ook niemand Tessa gezien. Toen was ze
maar langs de muziekschool gelopen, omdat ze zich
meende te herinneren dat Tessa pianoles had. Daar
kreeg ze te horen dat Tessa die dag op toneelles zat en
morgen pas naar pianoles hoefde. Tegen die tijd had
Chris er schoon genoeg van. Als Tessa per se veertig
verschillende cursussen wilde volgen terwijl ze ook
stapels huiswerk had en daarnaast nog met haar lin-
kervoet drie artikelen voor de schoolkrant schreef,
moest ze dat zelf maar weten. Chris had wel wat
anders aan haar hoofd. Dus ging ze naar de school
van Jack.

De middelbare school was een plek waar ze
normaal niet graag kwam. Het was een groot gebouw
waar minstens vijfhonderd grote kinderen naar school
gingen. De oudere jongens en meisjes hingen rokend
tegen de muur en zagen eruit als grote mensen. Het
schoolplein alleen al was bijna even groot als de
hele school van Chris en Tessa. Chris liep tussen de
wirwar van scholieren en leraren door. Hoe moest ze
Jack vinden tussen zoveel mensen?

'Hihihi,' hoorde ze ineens achter zich.

Geschrokken draaide Chris zich om. Waren de
giechelmeisjes haar gevolgd? Nee toch zeker? Ze
stonden inderdaad achter haar, met zijn drieën tegen
elkaar aan geleund. Maar ze keken niet naar Chris.

Chris volgde hun blik. Ze keken naar Jack. Hij stond ergens midden op het schoolplein, omringd door een groep vrienden en vriendinnen. Zijn blonde krullen waaiden in de wind. Drie jongens en twee meisjes die Chris niet kende stonden om hem heen en ze lachten allemaal om iets wat Jack net had gezegd.

Plotseling wilde Chris weg. Hoe had ze zo stom kunnen zijn om te denken dat Jack en zij vrienden waren geworden? Hij had haar helemaal niet nodig. Hij had in die korte tijd al tientallen vrienden gemaakt op school. En zelfs de meisjes bij haar op school gingen helemaal hiernaartoe om hem te zien! O jemig, straks dachten ze nog dat Chris hier ook naartoe was gekomen om naar Jack te kijken. Dat zouden ze morgen vast en zeker de hele school vertellen. Ze moest maken dat ze wegkwam voordat iemand haar zou zien! Net op het moment dat ze stiekem weg wilde sluipen, hoorde ze haar naam.

'Chris!'

Ze keek op. Jack wuifde vrolijk naar haar en liep haar kant op. Uit haar ooghoek zag Chris de giechelmeisjes. Ze giechelden niet meer. Hun monden hingen wijdopen. Jack stond inmiddels voor haar neus.

'Hé,' zei hij vrolijk, 'wat doe jij nou hier?' Zijn gezicht betrok ineens. 'Er is toch niets met Koesja?'

Chris schudde haar hoofd. 'De dierenarts heeft hem geopereerd, het komt allemaal goed.'

De ogen van de giechelmeisjes prikten in Chris'

rug. Ze wilden blijkbaar geen woord missen van wat Jack en Chris bespraken. Chris trok aan Jacks mouw om hem weg te krijgen van het schoolplein.

Jack dacht dat Chris haar arm door die van hem stak. Hij pakte haar elleboog en liep met haar mee.

Chris dacht dat ze doodging. Ze liep gearmd met Jack Loman, de held van de middelbare school! Het lachen was de giechelmeisjes wel vergaan. Maar Chris wist nu al zeker dat ze nooit meer naar school zou durven.

Zodra ze van het schoolplein af waren, trok ze haar arm los. 'Waar is Tessa?' zei ze. 'Ik moet jullie iets vertellen.'

Jack stopte zijn hand in zijn jaszak. 'Toneelles,' zei hij. 'In Zeezicht.'

'Worden er toneellessen gegeven in Zeezicht?' Chris schudde haar hoofd. 'Dat kan niet, dat zou Ella me heus wel verteld hebben.'

'Ella?' zei Jack.

Het zandpad slingerde door de duinen.

'Wie is Ella?' vroeg Jack.

'Ella is Ella,' zei Chris en haalde haar schouders op. 'Ze is de baas van hotel Zeezicht. Nou ja, het is niet haar hotel, maar van een of andere geheimzinnige vent. Maar zij zorgt voor de gasten en zo.'

Chris had Jack inmiddels het hele verhaal verteld. Over de operatie van Koesja. En dat haar ouders de rekening niet wilden betalen, dus dat ze toen maar de

Ming-vaas van haar moeder had gestolen. De rest van het verhaal wilde ze bewaren totdat Tessa erbij was.

Jack keek bewonderend naar het koppige meisje dat naast hem liep. Hij kende helemaal niemand zoals zij. 'Je bent een raar meisje,' zei hij.

Chris kreeg het warm. Ze werd wel vaker raar genoemd, maar Jack zei het op een speciale manier. Alsof hij het eigenlijk hartstikke leuk vond. Natuurlijk had ze weer geen idee wat ze terug moest zeggen. Ze wilde maar dat Koesja nu naast hen liep. Dan kon ze de aandacht afleiden door hem te roepen. Of hem te verbieden achter de vogels en konijnen aan te gaan. 'Het slaat nergens op om een wandeling door de duinen te maken zonder hond,' zei Chris.

Hotel Zeezicht doemde op in de verte.

'Vroeger kwam ik bijna elke dag bij Ella,' zei Chris. 'Voordat ik jullie kende. Ze is zo iemand tegen wie je alles kunt vertellen, snap je?'

Jack had medelijden met Chris. 'Je kunt het niet zo goed met je moeder vinden, hè?'

Even later zaten ze bij het haardvuur in de lounge van hotel Zeezicht. Ella vond het leuk dat Chris eindelijk weer een keer langskwam, en had de kok meteen opdracht gegeven om de tafel vol te laden met lekkere dingen. Toen keek ze naar Jack.

'Dus dit is nou Jack?' zei ze tegen Chris met ondeugende lichtjes in haar ogen.

Achter Jacks rug trok Chris een gezicht naar Ella

dat ze onmiddellijk moest ophouden met pesten. Dat maakte Ella op een of andere manier aan het lachen. Ook Jack grijnsde. Hij begreep wel waarom Chris Ella zo aardig vond.

'Ik ga Tessa even halen,' zei hij.

Ella keek hem na.

'Leu-eu-euk!' zei ze tegen Chris. 'Waarom heb je niet verteld dat de BBB zo knap is?'

'Waarom heb jij mij niet verteld dat er hier toneellessen worden gegeven?' kaatste Chris terug.

'O kind, al jaren. Alleen in de winter natuurlijk, want in de zomer zitten we propvol, dat weet je.'

'Ramptoeristen,' mopperde Chris binnensmonds.

'Maar als ik geweten had dat je graag een wereldberoemde actrice wil worden, had ik het je zéker verteld,' ging Ella plagerig verder. 'Ze oefenen nu Assepoester. Ooo, je zou er zo schattig uitzien in een roze jurkje met strikjes... Christina!'

Chris gooide een van de kussen van de bank naar Ella's hoofd.

Ella sloeg lachend haar armen voor haar gezicht. 'Genade!'

Op dat moment kwam een van de serveersters aan met een dienblad vol lekkers. Ze zette alles op tafel. Een grote pot thee, grote rode theekoppen met gele zonnebloemen erop, zelfgebakken appeltaart, chocoladekoekjes, kleine rode drilpuddinkjes met spikkels en miniroomwafels. En een kluif voor Koesja.

'Waar is Koesja eigenlijk?' vroeg Ella.

Chris voelde zich ineens doodmoe. Ze wilde Ella eigenlijk niet vertellen wat er gebeurd was. Ze vertelde haar altijd alles, maar nu had ze Tessa en Jack. En ze wilde liever met hen bespreken wat ze nou moesten doen. Bovendien was Chris er niet helemaal zeker van of Ella het er wel mee eens zou zijn dat ze de vaas van haar moeder gestolen had. En dat ze midden in de nacht beschoten werd door griezels. Ella was geweldig, maar ze bleef natuurlijk wel een volwassene. En die konden behoorlijk gaan zeuren als het over dat soort dingen ging.

'Hij is thuis,' zei ze daarom maar.

Ella trok haar wenkbrauwen op. 'Juist,' zei ze. Het was duidelijk dat ze geen woord geloofde van wat Chris zei.

Toen Jack en Tessa terugkwamen, stond Ella op. 'Jullie hebben vast veel te bespreken,' zei ze stijfjes en vertrok. Chris begreep dat ze straks iets goed te maken had.

Tessa plofte neer in een van de stoelen.

'Wat is er zo belangrijk?' zei ze. 'Ik zit midden in een repetitie.' Ze sprak het uit als 'riptisie'.

Chris bekeek haar van top tot teen. Tessa droeg een schattig roze jurkje met strikjes. En ze had een kroontje op haar hoofd. 'Ben je een van de boze stiefzusters?' vroeg ze liefjes.

'Ik ben Assepoester!' zei Tessa verontwaardigd. 'Zie je dat niet?'

Chris werd opeens opstandig. Natuurlijk had Tessa meteen de hoofdrol, ook als was ze nog maar net in Westwijk komen wonen. Ze begon te begrijpen hoe het werkte. Chris keek naar Tessa's voeten, die nogal groot uitgevallen waren. 'Ik moet anders nog zien of je die enorme hoef in een glazen muiltje kunt proppen.'

Voordat Chris en Tessa elkaar in de haren konden vliegen, greep Jack in. 'Hou op! Jullie kibbelen als een stelletje meisjes. Chris heeft iets belangrijks te vertellen.'

Terwijl Jack de thee in de grote rode koppen goot en Tessa nijdig in een roomwafel beet, begon Chris te vertellen. Het eerste gedeelte kende Jack al, maar toen ze bij het gedeelte van het pandjeshuis kwam, hield ook hij zijn adem in.

'Weet je wel hoe gevaarlijk het is om daar helemaal in je eentje naartoe te gaan?' snauwde hij.

Chris keek verbaasd op. Jack was normaal nooit onaardig tegen haar. Maar nu keek hij echt kwaad.

'Ik moest toch wat? Had ik Koesja dan maar moeten laten doodgaan?'

'Je had ons moeten bellen! Dat had je moeten doen!' zei Jack fel.

Chris beet op haar lip. Ze had geen zin om uit te leggen dat ze eraan gewend was dat ze altijd alles alleen moest doen. Dat haar enige vrienden tot nu toe Koesja en Ella waren geweest.

'En trouwens,' begon Tessa, 'dat die Nasar daar toevallig was, hoeft echt niet te betekenen dat hij in gestolen spullen handelt.' Ze hield haar voeten onder haar jurk verstopt.

'O ja, hij was daar gewoon voor de gezelligheid. Tjee, dat ik daar niet eerder aan gedacht heb, zeg,' snauwde Chris terug.

'Jij was daar ook, en jij handelt ook niet in gestolen spullen,' zei Tessa.

'Op dat moment anders wel!'

'Je moet toch toegeven dat Nasar zich tamelijk verdacht gedraagt,' viel Jack Chris bij. Hij wreef over zijn nek. 'Hij heeft mij zowat gewurgd en die arme Koesja neergeschoten. Alleen maar omdat we in de buurt van De Duinroos kwamen. Natuurlijk heeft hij wel iets te verbergen. Alleen zou het zomaar kunnen dat dat niks met dat vetkamp te maken heeft.'

'Vakantiekamp voor kinderen met overgewicht,' zeiden Chris en Tessa tegelijk.

Ze keken elkaar aan en begonnen toen te lachen.

'Dus jij denkt echt dat dat kamp een dekmantel is voor iets anders?' vroeg Tessa toen ze uitgelachen waren.

'Ik weet het wel zeker,' zei Chris.

'Ik wed dat die zwarte Mercedes daar ook van alles mee te maken heeft,' zei Tessa. 'Ik heb het nummerbord onthouden.'

'O Chrí-ís?'

Geschrokken keken ze op.

Ella stond in de deuropening. Ze hield een telefoon omhoog. 'Het is voor jou. De dierenarts. De operatie is geslaagd en je kunt Koesja komen ophalen.'

Ella's ogen boorden zich recht in die van Chris. Chris kromp in elkaar. Ze hield van Westwijk. Ze hield van de bewoners van Westwijk. Maar waar ze wel eens gek van werd, was dat iedereen altijd alles van iedereen wist. Natuurlijk dacht Van Dam dat hij haar in Zeezicht zou kunnen vinden. Daar zat ze toch immers altijd voordat ze Tessa en Jack leerde kennen? Ze kon nog geen leugentje vertellen of het kwam vijf minuten later uit. Chris stond op en liep met neergeslagen ogen naar Ella toe. Die overhandigde haar de hoorn.

Voordat Ella de hoorn losliet en hem aan Chris gaf, zei ze zachtjes: 'Is er iets dat je me wilt vertellen?'

Chris knikte.

Ella gaf haar de telefoon.

'Hallo? Met Chris Appelboom,' zei Chris.

Ella bleef naast haar staan en volgde elk woord.

14

De gestolen vaas

Ella's Lelijke Eend stopte met piepende remmen voor huize Appelboom. Zodra Chris uitgelegd had wat er met Koesja was gebeurd, had Ella erop gestaan om Koesja met de auto thuis te brengen. Omdat Jack en Tessa ook beslist mee wilden om de hond op te halen, was het nog een behoorlijk opgepropte boel geworden in de auto. Ella zat achter het stuur en Tessa zat naast haar. Koesja nam bijna de hele achterbank in beslag. Hij was nog suf van de operatie en zijn grote zwarte lijf lag uitgestrekt over de bank heen. Chris zat naast hem, helemaal tegen de deur geperst met zijn kop op haar schoot. Jack was maar in de achterbak gekropen. Zijn hoofd botste keihard tegen de klep aan elke keer als ze over een hobbel reden. Toen ze eindelijk aankwamen bij het huis van Chris zat hij onder de butsen en schrammen.

Voorzichtig probeerde Chris haar hond uit de auto te krijgen. Hij kreunde en probeerde op te staan, maar was nog heel wankel. Chris trok voorzichtig aan zijn halsband. Tessa deed de deur aan de andere kant open en begon tegen zijn achterkant aan te duwen. Met een plof kwam Koesja op drie poten op de stoep terecht. Op zijn gewonde schouder was een heel stuk van zijn vacht weggeschoren. Er zat een groot wit verband op, vastgeplakt met pleisters. Het zag er raar uit.

'Moet ik even mee naar binnen om het aan je moeder uit te leggen?' vroeg Ella aan Chris.

Chris wapperde paniekerig met haar handen. 'Nee, nee, doe dat nou maar niet!'

Chris' moeder had een frisse hekel aan Ella. Chris had geen idee waarom. Ze had haar moeder ooit verteld dat Ella altijd de thee voor haar klaar had staan en dat ze zo goed met haar kon praten, maar dat leek mevrouw Appelboom niet te bevallen. Daarna begon ze zelf ook thee te zetten. En dan verwachtte ze dat Chris bij haar bleef zitten terwijl mevrouw Appelboom de ene vraag na de andere op haar dochter afvuurde:

'Hoe was het op school?'

'Heb je nog huiswerk?'

'Heb je nou alweer die oude spijkerbroek aan?'

'Waarom neem je nooit vriendjes mee naar huis?'

Nou, daarom dus.

Ella haalde haar schouders op en stapte weer in haar gammele Eend. 'Als ik iets voor jullie kan doen, weet je me te vinden, hè?' Ze toeterde en scheurde de straat uit. De raampjes klapperden in de bocht.

Koesja hinkte op drie poten naar de voordeur, gevolgd door Chris, Jack en Tessa.

'Jullie moeten mijn moeder afleiden,' fluisterde Chris dringend. 'Als ze ziet dat Koesja geopereerd is, zal ze willen weten hoe ik dat voor elkaar gekregen heb.'

'Maar ze zal er tóch achterkomen,' zei Tessa geschrokken.

'Niet als ik hem op mijn kamer hou tot hij weer beter is,' zei Chris. 'Dat duurt maar een paar dagen, zegt de dierenarts.' Ze duwde Jack en Tessa voor zich uit.

'Kom op! Vertel maar iets over het staatsbezoek van jullie vader aan China of zoiets. Dan is ze meteen zo mak als een lammetje.'

Jack en Tessa keken Chris aan alsof ze gek was geworden.

'Eh... ik denk dat ik voor ons allebei spreek als ik zeg: wát?!' vroeg Tessa.

'Doe het nou maar gewoon,' zei Chris. Ze zuchtte. Af en toe konden Jack en Tessa ingewikkeld doen over de kleinste dingen.

Terwijl Chris Koesja met moeite de gang door duwde, stonden Jack en Tessa in de deuropening naar de woonkamer. Op die manier had mevrouw Appelboom geen zicht op wat er in de gang gebeurde.

'En we kregen babi pangang,' hoorde Chris Tessa zeggen. 'En nasi toe, met sambal.'

'Iedereen droeg een kimono,' zei Jack.

Chris bleef er zowat in. Koesja hobbelde de gang door en stootte tegen de paraplubak. Vier paraplu's vielen kletterend op de vloer.

'Christina?' hoorde Chris haar moeder roepen.

'O, is ze thuis?' riep Tessa er keihard doorheen

op een overdreven vrolijke toon. 'Want we kwamen eigenlijk voor haar!'

'Ik zal even gaan kijken,' zei mevrouw Appelboom en liep naar de deur. Jack ging meteen zo in de deuropening staan dat ze er met geen mogelijkheid door kon.

'Nergens voor nodig, mevrouw Appelboom,' zei hij. 'We willen u beslist niet storen in uw belangrijke bezigheden. We kijken zelf wel even.'

Jack en Tessa draaiden zich om.

Mevrouw Appelboom was ontroerd. 'Zulke beleefde kinderen,' mompelde ze. Ze vroeg zich waarschijnlijk af waarom Christina daar toch geen voorbeeld aan nam.

'Kimono's?!' zei Tessa. Ze keek vol walging naar Jack.

'Hoor eens, ik deed mijn best,' zei Jack.

De drie kinderen lagen uitgeput op Chris' bed. Koesja lag op zijn kleedje voor de kachel. Chris had een grote kluif voor hem neergelegd. De hond probeerde de poot van zijn gewonde schouder eroverheen te leggen.

Ze sprongen geschrokken op toen er een oorverdovende gil uit de woonkamer kwam. Tessa gooide snel het dekbed over Koesja heen toen mevrouw Appelboom haar hoofd om de hoek van de deur stak. Ze was helemaal rood en gevlekt en haar haren piekten overeind.

'Mijn Ming!' hijgde ze. 'Mijn vaas is weg!'

'Kijk, we bouwen een tent,' zei Tessa. Ze wees op het dekbed en deed alsof zoiets doodnormaal was.

Chris' moeder trok haar wenkbrauwen op. Chris vroeg zich af of Tessa ooit een briljant actrice zou worden. Zelf werd ze knalrood.

'Je hebt vast niet goed gekeken,' zei ze tegen haar moeder. 'Hij moet ergens zijn. Een vaas heeft geen pootjes.'

Koesja piepte onder het dekbed. Jack, Tessa en Chris begonnen alle drie ineens keihard te hoesten.

Mevrouw Appelboom lette er niet op. Ze merkte niet eens dat Koesja er niet was. Maar dat van die vaas had ze nou net weer wel door. 'Ik ga de politie bellen,' zei ze. 'De Ming is van onschatbare waarde!'

'Daar zou ik even mee wachten tot papa thuis is,' zei Chris snel. 'Misschien weet hij er wel meer van.'

'Denk je?' zei mevrouw Appelboom plotseling hoopvol. Haar ogen begonnen te glanzen. Het was duidelijk dat ze de Ming zo ongeveer aanbad.

'Tuurlijk,' zei Chris.

'Zeker weten,' zei Tessa.

'O, ik hoop het toch zo,' zei mevrouw Appelboom.

Chris deed de deur achter haar dicht en leunde er hijgend tegenaan. 'Pfff, dat scheelde niks.'

'Een tént?' vroeg Jack aan Tessa.

Koesja stak zijn kop onder het dekbed vandaan. Een van zijn oren was dubbelgevouwen. 'Woef!' zei hij.

'Hij zegt dat hij dat juist een heel goede smoes vond,' zei Tessa en ze stak eigenwijs haar neus in de lucht. 'Gaan we nou eindelijk nog uitzoeken van wie die zwarte Mercedes is?'

Chris zette haar computer aan.

'Zonder te hacken,' zei Tessa.

Chris lette niet op haar. 'Wat was het nummerbord?'

'Ik kan het ook aan mijn vader vragen. Als burgemeester mag hij in de politiecomputers.'

'Ik kom ook heus wel in de politiecomputers.'

'Jawel, maar hij mág erin. Hacken is verboden, Chris!' Tessa begon zich op te winden.

Chris haalde haar schouders op. 'Ze weten toch niet dat ik het doe. Ik ben nog nooit betrapt.' Chris draaide zich om in haar bureaustoel en ging het internet op. 'Het nummerbord?'

'Chris,' zei Jack. 'Tessa heeft wel gelijk. 'We kunnen het eerst op een andere manier proberen.'

Chris draaide zich naar Jack en Tessa toe en zette

kwaaie, starende ogen op. Ineens leek ze griezelig veel op mevrouw Appelboom.

'PV-VP-16,' zei Tessa snel.

Jack maakte een gebaar naar zijn zusje of ze wel helemaal goed bij haar hoofd was.

Tessa mompelde dat het haar speet.

'Nee! Dit gelóóf ik niet!' riep Chris.

Jack en Tessa bogen zich over haar schouder om mee te kijken op het scherm. De zwarte Mercedes stond geregistreerd op naam van Van Bovenkerken.

'De baas van De Duinroos!' riep Jack.

'Zet. Die. Computer. Uit!' siste Tessa. 'Je brengt ons allemaal in de problemen!'

'Ach dat zal toch allemaal wel loslopen,' zei Chris.

Precies op dat moment vloog de deur van haar kamer open en kwamen twee politieagenten binnen. Ze werden op de voet gevolgd door Ciska Beerenpoot. Die droeg die dag een gestreepte soepjurk met een grote corsage erop. Daaroverheen rinkelden minstens acht kettingen. Ze had op een heel ingewikkelde manier een sjaaltje in haar haren geknoopt.

'Daar zul je het hebben,' zei Tessa.

Chris wist niet wat ze het eerst moest verbergen: haar hond of het computerscherm. 'Ik heb niks gedaan,' zei ze.

Ciska Beerenpoot duwde de agenten omver en liep naar Chris toe.

'Grrrr,' zei Koesja en hij probeerde overeind te komen. Tessa gooide snel weer het dekbed over hem heen.

Voordat Ciska kon zien wat er op het scherm stond, zette Chris snel haar computer uit.

Ciska had een notitieblok en pen in de aanslag. 'De lezers van de *Westwijker Courant* zouden graag willen weten of er hier sprake is van strafbare feiten,' zei ze.

'Mevrouw Beerenpoot,' zei een van de agenten, 'wij willen Christina graag eerst zelf ondervragen.'

Nina's ontsnapping

'Heb ik het niet gezegd?' zei Tessa voor de vijfenveertigste keer tegen Chris.

'Mens, zéúr niet zo,' zei Chris. 'Het ging niet eens over dat hacken, maar over de beeldschone *MingMing*, de beroemdste vaas aller tijden.'

'Die je ook gewoon gejat hebt,' snerpte Tessa.

'Dat weten zíj toch niet.'

'Ze stonden in je kamer! Met dat mens van Beerenpoot erbij. Hoe lang denk je dat het duurt voordat ze ontdekken dat jij daarachter zit?'

Chris haalde haar schouders op. 'Als het aan mij ligt: nooit. Hoe moeten ze erachter komen? Ik ga het ze niet vertellen.' Ze keek Jack en Tessa scherp aan. 'En jullie natuurlijk ook niet.'

Jack, Koesja, Chris en Tessa zaten achter in de tuin. In de winter borg meneer Appelboom de tuinmeubelen altijd op in de schuur. Haar ouders waren allebei als de dood dat er een krasje op zou komen. Maar de oude stoelen onder de dikke eikenboom achterin bleven altijd staan.

Blijkbaar had mevrouw Appelboom toch de politie opgebeld om te vertellen dat haar vaas gestolen was. De kinderen waren superopgelucht dat ze niet betrapt waren terwijl ze inbraken in de politiecomputers, zoals ze eerst gedacht hadden. Maar nu deed de politie onderzoek naar de verdwenen Ming, en dat joeg Chris de stuipen op het lijf.

Ciska Beerenpoot was in alle staten. Ze deed alsof het de belangrijkste inbraak was die je je maar kon voorstellen. 'Ik ga er een voorpagina-artikel van maken,' had ze gezegd. 'Deze Ming is een heel belangrijke vaas. Hij is nog afkomstig uit de collectie van de oude barones Steenburgh van Hameren. Verre afstammelingen van het koninklijk huis,' had ze daar eerbiedig achteraan gefluisterd. Ze kwijlde bijna toen ze dat zei.

'Hoe weet ze dat eigenlijk?' vroeg Jack. 'Dat dat dezelfde vaas is?'

'Mijn moeder had een fotoalbum gemaakt van Ming,' zei Chris. 'Geloof jij het? Het ding is echt spuuglelijk. Je had hem moeten zien, ik kon echt niet geloven dat die vent er vijfhonderd euro voor gaf.'

'Als hij er zoveel geld voor betaalde,' zei Jack bedachtzaam, 'dan is hij waarschijnlijk nog wel tien keer zo veel waard. Misschien wel meer.'

'Néé toch!' zei Chris geschrokken.

Ineens snapte ze dat haar briljante plan misschien toch iets minder briljant was dan ze gedacht had. Toen was het alleen een puik idee om haar geliefde Koesja te redden. Maar als niet alleen haar moeder vond dat de Ming zeer belangrijk was, maar andere mensen ook, dan zat ze nu goed in de nesten!

'Steenburgh van Hameren,' zei Tessa. 'Dat was een poos geleden toch op het nieuws? Papa en mama hadden het toen nergens anders over.'

'Heel lang geleden,' zei Jack. 'Zeker twee jaar terug. Die inbraak is zo oud als de baard van Sinterklaas.'

'Wedden dat die Nasar daar meer over weet?' zei Chris. 'Of zou hij voor de gezelligheid telkens naar het pandjeshuis gaan? Lijkt me niet.'

'Kunnen we daar niet "toevallig" die vaas ontdekken?' zei Jack. 'Dan heeft je moeder haar vaas terug en trekt ze de aanklacht in.'

'Geweldig plan,' zei Chris. 'Behalve dat die oude man mij meteen aanwijst als degene die hem de vaas verkocht heeft. Mijn ouders sluiten me dan helemaal voor de rest van mijn leven op in mijn kamer.'

'We moeten terug naar De Duinroos,' zei Tessa. 'Dat is de enige plek waar we kunnen ontdekken wat er precies aan de hand is.'

Jack wreef over zijn nek, waar de striemen nog vaag zichtbaar waren. 'Terug naar Nasar,' zei hij. 'Ik weet het niet.'

'Naar Nasar en Van Bovenkerken,' zei Tessa. 'Als we kunnen bewijzen dat zij in foute zaakjes zitten, kunnen we naar de politie. En dan kan Chris nergens meer van beschuldigd worden.'

Chris keek naar Tessa. En op dat moment nam ze zich voor nooit meer iets onaardigs over haar te denken.

'Koesja redt het nooit op drie poten,' zei Chris. 'Hij is ook nog helemaal suf.'

'Jij blijft hier en zoekt met je computer uit hoe het zat met die inbraak bij Steenburgh van Hameren,' zei Tessa. 'En wij gaan de duinen in. Tjee, en ik dacht nog wel dat er hier in Westwijk nooit wat gebeurde.'

Chris keek Jack en Tessa na toen ze door de heg van de tuin kropen. Ze wilde dat ze met hen mee kon gaan. Koesja jankte, en Chris aaide hem over zijn kop. 'Ik blijf bij jou, Koes, wat er ook gebeurt,' zei ze.

Toen viel haar oog op het hok dat in de tuin stond. Dat had haar vader jaren geleden laten bouwen, omdat mevrouw Appelboom 'dat vieze beest' niet in huis wilde hebben. Natuurlijk had Chris zich daar niets van aangetrokken en liet ze Koesja altijd gewoon op haar kamer slapen. Maar nu kwam het goed uit. Ze sleepte warme kussens en dekens en zijn drinkbak naar het hok. Koesja keek belangstellend toe. Voorzichtig stak hij zijn kop naar binnen en snuffelde aan de dekens.

'Je moet even een paar dagen hier slapen,' zei Chris. 'Ik breng je eten en alles hierheen. Anders ontdekken ze je misschien en ik zit al genoeg in de puree.'

Koesja liep zijn hok in, draaide een paar rondjes en liet zich met een tevreden knor neerploffen. Volgens Chris hinkte hij al een stuk minder. Ze kroop bij hem in zijn hok en sloeg haar armen om hem heen.

Jack en Tessa lagen op de loer bij De Duinroos. Zoals altijd waren de poorten gesloten. Ze hadden zich verstopt achter een braamstruik en bedachten hoe ze binnen konden komen.

'We kunnen niet zomaar aankloppen,' zei Jack, 'want Nasar zou ons meteen herkennen. En als hij niet zelf opendoet, maar een van de kinderen, maakt dat ook niets uit. Iedereen is veel te bang voor hem. We moeten een andere manier verzinnen om binnen te komen.'

'Jack?' zei Tessa.

'Nee, nee,' zei Jack. 'Laat me even nadenken. Op een of andere manier zouden we Nina op moeten sporen. Die laat ons er wel in. Maar hoe...'

'Ja-ack?' zei Tessa.

'Of we moeten weer via de achterkant gaan,' zei Jack. 'Misschien liggen die boomstammen van laatst er nog. We zouden omhoog kunnen klimmen en...'

'JACK!'

Tessa schreeuwde zo hard dat de vogels uit de bomen wegvlogen. Jack keek verbaasd op.

Tessa hield een zak snoep omhoog. 'Als we hiermee niet binnenkomen, dan lukt niks,' zei ze. 'Ik heb spekkies, lollies, drop, roze koeken, chocoladerepen, jamcakejes, wokkels en gummibeertjes.'

'Hoe...?' begon Jack.

'Mama had net boodschappen gedaan,' zei Tessa tevreden. 'Die kinderen hebben in geen weken te eten gehad. Die zijn natuurlijk uitgehongerd. Misschien zijn ze bang voor Nasar. Maar ze hebben meer zin in snoep, wedden?'

'En als Nasar zelf opendoet?'

'Dan rennen we keihard weg,' grijnsde Tessa.

Jack keek bewonderend naar zijn kleine zusje. Ze krabbelden overeind. Voor de poort keken ze elkaar nog even aan. Toen klopten ze met hun vuisten tegen de hoge deur.

Een tijdlang gebeurde er niets. Jack en Tessa waren behoorlijk zenuwachtig. Wat zou er gaan gebeuren? Opeens hoorden ze een ketting rammelen. Even daarna ging de poort open. Een angstig jongetje loerde door een kier.

'Wat willen jullie?'

'Wij zijn familie van ehm... Jan Jansen,' zei Tessa. 'Die logeert hier ook. We komen hem opzoeken.'

'We hebben hier geen Jan Jansen,' zei het jongetje. Hij leek slecht op zijn gemak en keek telkens snel over zijn schouder of iemand hem zag. 'Er is hier wel een Jaap Jansen.'

'Die bedoelen we,' zei Tessa. 'Wij noemen hem altijd Jan, omdat hij op Jan Klaassen lijkt.'

Jack keek opzij. Hij vond het echt ongelofelijk dat zijn zusje zo makkelijk kon liegen, zonder ook maar te haperen of te blozen. Eigenlijk vond hij het gewoon eng.

'Ik mag niemand binnenlaten,' zei de jongen. 'Als ze me zien...' Hij keek weer schichtig om zich heen.

Tessa trok de enorme zak snoep achter haar rug vandaan en hield die voor zijn neus. De ogen van de jongen begonnen te glanzen. Hij stak gretig zijn hand uit, maar Tessa trok snel de zak weg.

'Als je ons binnenlaat, is dit voor jullie,' zei ze.

'Het mag echt niet,' zei de jongen. Hij kon zijn ogen niet van de zak snoep afhouden. Tessa pakte een spekkie en nam er een grote hap uit. 'Hmm,' zei ze. 'Dat is lekker, zeg. Nou, dan moet ik dit allemaal maar zelf opeten.'

De jongen aarzelde nog even. Toen deed hij de deur verder open en gebaarde dat ze binnen moesten komen.

'Snel,' zei hij. 'Niemand mag jullie zien!'

Net op het moment dat Jack en Tessa naar binnen wilden glippen, verscheen Nasar ineens donker en dreigend achter de jongen.

'Jullie weer!' zei hij woedend.

Jack en Tessa gingen er meteen vandoor.

'M'n snoep!' gilde de jongen in paniek. Hij stak zijn hand uit. Nasar gaf hem zo'n harde klap dat hij tegen de grond sloeg.

Jack en Tessa renden zo hard ze konden door de duinen. Ze ploegden door het rulle zand. Ze merkten niet eens hoe zwaar dat was, zo bang waren ze. Ze renden, heuvel op, heuvel af, totdat ze zeker wisten dat Nasar hen niet meer zou kunnen vinden.

Ze hingen hijgend tegen elkaar aan.

'Volgens. Mij. Heeft. Hij. Het. Opgegeven,' zei Jack. Hij hijgde zwaar en greep naar zijn ribbenkast. Tessa knikte alleen maar. Ze zat in elkaar gedoken en kon geen woord meer uitbrengen.

Toen ze op adem gekomen waren, liepen ze langzaam achter elkaar aan de heuvel af.

'Ik geef het op,' zei Tessa. 'Het is onmogelijk om dat kamp binnen te komen.'

'En Chris dan?' zei Jack. 'Als we niet kunnen bewijzen dat Nasar hier een buit verborgen houdt, gaat de politie achter Chris aan. Ze zijn al in haar huis geweest. Ze komen er heus wel achter wat ze met die vaas gedaan heeft.'

'Ja,' zei Tessa, 'nu we het daar toch over hebben. Wat is dat tussen jou en Chris?'

Jack schrok. 'Hoe bedoel je?' vroeg hij. 'Er is helemaal niks. Ik heb geen idee waar je het over hebt.'

'Niet?' grinnikte Tessa. 'Mijn vriendinnen op school zeggen anders dat...'

'Die vriendinnen van jou zijn kippen zonder kop,' zei Jack.

Tessa gilde.

'Nou zeg,' zei Jack. 'Ik bedoelde heus niet dat...'

Maar toen hij omkeek lag Tessa op de grond. Ze had haar enkel met twee handen vast.

Jack plofte naast haar in het zand. 'Wat is er?' riep hij.

Tessa beet op haar lip om de tranen tegen te houden. 'Ik ben in een konijnenhol gestapt. Ik denk dat ik mijn enkel gebroken heb.'

'Laat eens kijken.' Jack boog zich over Tessa's enkel. 'Beweeg eens met je tenen?'

'Ooo,' jammerde Tessa. 'Het doet zo'n pijn!'

'Hij is niet gebroken,' zei Jack. 'Als je je tenen nog kunt bewegen, is hij niet gebroken. Misschien heb je hem verstuikt, of gewoon verzwikt.'

'Hallo?' hoorden ze ineens. 'Hebben jullie weer iets te eten meegenomen?'

Jack en Tessa keken op. Vanuit het niets was Nina verschenen. Ze was nog net zo dik als altijd. Tessa hield de enorme zak snoep omhoog. 'Je kunt hier wat van krijgen,' zei ze. Op één voorwaarde: je laat ons zien hoe jij telkens ongezien het kamp in en uit kunt komen.'

Chris in de knel

Toen Koesja gegeten en gedronken had, verschoonde Chris zijn verband. De wond begon al goed te genezen. Dokter Van Dam had hondenaspirientjes meegegeven, maar Koesja weigerde om die te slikken.

'Je moet dit opeten,' zei Chris. 'Dat helpt tegen de pijn.'

'Grrr,' zei Koesja en hij hield zijn kaken stijf op elkaar.

Chris probeerde zijn bek open te wrikken, maar dat was onmogelijk. Ze smeekte, ze was streng, ze verstopte het pilletje in een stukje worst. Maar niets hielp. Uiteindelijk deed Chris alsof het iets heel lekkers was dat hij beslist niet mocht hebben. Voordat ze het wist had Koesja het aspirientje uit haar hand gegrist en opgegeten.

'Ik begin te begrijpen waarom zo'n vetkamp niet werkt,' grinnikte Chris.

'Woef!' zei Koesja. Het klonkt verdacht veel als: 'Dat heet dus een vakantiekamp voor kinderen met overgewicht.'

Toen Koesja eindelijk in zijn hok in slaap was gevallen, ging Chris terug naar binnen. Ze hoopte dat

Ciska Beerenpoot en de politieagenten inmiddels vertrokken waren. Maar toen ze binnenkwam, leek het in huize Appelboom nog het meest op een echte politieserie. De twee agenten waren met grafiet en kwastjes op zoek naar vingerafdrukken. Alles zat onder het zwarte stof. Ciska Beerenpoot liep rinkelend rond en stelde priemende vragen aan mevrouw Appelboom. 'Waar had u de vaas eigenlijk gekocht? Had u enig idee dat hij uit de collectie van de barones kwam? Weet u wie er achter deze brutale diefstal zou kunnen zitten?'

Mevrouw Appelboom had een nog rodere kop dan normaal. 'Ik heb de vaas gekocht op een veiling,' zei ze met samengeperste lippen.

'Is het heus?' zei Ciska. Ze boog zo ver naar Chris' moeder dat hun neuzen elkaar bijna raakten. Je kon zien dat mevrouw Appelboom daar niet erg gelukkig mee was. Ze perste haar rug zo ver mogelijk tegen de leuning van de fauteuil om Ciska Beerenpoot te ontwijken. 'Welke veiling was dat dan precies?'

'Gewoon, in de stad,' zei Chris' moeder. 'Er waren een heleboel belangrijke mensen. De dochter van de nicht van de melkboer die vaak op bezoek gaat bij de minister bijvoorbeeld. En de achterneef van de buurvrouw van Carlo Corenmolen.'

'Carlo Corenmolen?!' Ciska Beerenpoot begon bijna te hijgen en maakte snel een aantekening. 'De pópzanger Carlo Corenmolen?'

Mevrouw Appelboom knikte. 'Het was een buitenkansje.'

De twee agenten kwamen de kamer in. 'Nou mevrouw,' zeiden ze. 'We kunnen geen vingerafdrukken vinden. Alleen die van jullie zelf. En die van jullie dochter.'

Iedereen keek opeens naar Chris.

Die kreeg het ineens behoorlijk warm. 'Misschien had de dief handschoenen aan,' zei ze. 'Dat zie je toch ook altijd in de film? Dat ze handschoenen aandoen om geen sporen achter te laten?'

'Waar was jij vanmorgen eigenlijk tussen acht uur en halftwaalf?' vroeg Ciska Beerenpoot. Ze sloeg een nieuw blaadje om in haar aantekenboek. 'Had je enig idee wat die vaas waard was?' Haar ogen priemden zich in die van Chris. 'Heb je de laatste tijd nog nieuwe dure spullen gekocht?'

Chris wilde iets terugzeggen, maar de starende ogen van Ciska maakten haar in de war. Ze had het idee dat iedereen kon zien wat ze gedaan had.

'Christina? Geef mevrouw Beerenpoot eens antwoord!' Haar moeder was nu ook uit haar stoel gekomen en ging naast Ciska Beerenpoot staan. De agenten keken belangstellend toe.

'Waarom word je zo rood?' vroeg Ciska Beerenpoot en ze maakte een aantekening in haar blocnote.

'Dat weet ik niet,' zei Chris. 'Omdat ik het warm heb.' Ze had nooit gedacht dat het zou gebeuren, maar ze miste Tessa ontzettend. Als Tessa hier zou zijn, zou die doodleuk de boel aan elkaar liegen. En iedereen zou haar smoesjes geloven, omdat ze zo'n lief, beleefd meisje met een blonde paardenstaart was.

'Jij bent altijd al jaloers geweest op mijn vaas,' zei haar moeder.

Chris vroeg zich af of haar moeder hoorde hoe belachelijk dat klonk.

'Nou?' snerpte mevrouw Appelboom. 'Waar was jij tussen acht en halftwaalf?'

'Weet u niet eens waar uw eigen kind uithangt?' vroeg een van de politieagenten.

Mevrouw Appelboom perste haar lippen zo hard op elkaar dat er alleen nog maar een streep van haar mond overbleef.

'Een goed onderwerp voor een artikel,' straalde Ciska en ze maakte nog een aantekening.

Mevrouw Appelboom was nu bijna donkerpaars. 'Waar. Was. Jij. Vanochtend?'

'Bij Ella!' riep Chris snel. 'Ik was bij Ella!'

'Ella?' vroeg Ciska Beerenpoot.

'Ella?' vroegen de politieagenten.

'Ella van Zuilen,' zei Chris. 'Van hotel Zeezicht.'

'Is het heus?' vroeg haar moeder. 'Zullen we Ella dan nu maar meteen bellen? En vragen of het waar is wat jij zegt?' Ze liep naar de telefoon en begon een nummer te draaien.

Chris werd gek. Ella zou natuurlijk vertellen dat ze er pas vanmiddag was geweest. En dan zouden Ciska en de politie weten dat ze had gelogen. Dus zouden ze weten dat ze iets verborg. Bijvoorbeeld dat ze de Ming gejat had. Maar iedereen staarde naar haar, dus trok ze een gezicht alsof ze nergens mee zat.

'Je doet maar,' mompelde ze narrig.

'Hallo, Ella?' zei haar moeder. 'Je spreekt met Aleida Appelboom.'

Je kon goed horen dat Chris' moeder de pest had aan Ella: haar stem klonk als een verzameling ijspegels. 'Zeg, míjn dochter zegt dat ze bij jou was vanochtend. Klopt dat?'

Chris begon te trillen. Haar knieën leken zo zacht als kauwgom. Dat was het dan. Alles zou uitkomen. Wat zou er nu met haar gebeuren? En met Koesja?

'Hmm-mm,' mompelde haar moeder. 'Hmm-mm... ja... nee, hmm-mm.'

Eindelijk legde mevrouw Appelboom de telefoon neer. Iedereen keek naar haar. Je kon zien aan Ciska Beerenpoot dat ze dacht dat ze haar primeur binnen had. Ze begon nog net niet te spinnen, maar ze had haar roodgelakte klauwtjes stevig om haar pen geslagen.

'Het klopt,' zei Chris' moeder. 'Ella zegt dat Chris haar vanochtend heeft geholpen met klusjes in het hotel.'

Ciska Beerenpoot liet teleurgesteld haar pen zakken.

Chris kreeg ineens weer lucht. Die goeie ouwe Ella! Ze nam zich voor om haar nooit meer zo te verwaarlozen. 'Nou, dan ga ik maar naar mijn kamer,' zei Chris. Haar stem klonk nog steeds een beetje bibberig. 'Of hebben jullie me nog ergens voor nodig?' Ze draaide zich om om weg te lopen. Ze wist niet waarom Ella voor haar gelogen had, maar ze was er superblij mee. Nu kon ze toch nog uit gaan zoeken hoe het zat met de inbraak bij de weduwe Steenburgh van Hameren. Ze konden haar niets meer maken!

'Nou mevrouw, dan gaan wij ook maar,' hoorde ze de agenten zeggen toen ze bij de deur was. 'We kunnen hier niets meer betekenen.'

'De lezers van de *Westwijker Courant* zouden graag willen weten wat de politie er verder aan denkt te doen?' zei Ciska Beerenpoot.

'De gewone dingen,' zei een van de agenten. 'We maken een rondje langs de pandjeshuizen en zo. Een hoop gestolen spullen verdwijnen die kant op.'

Chris stond ineens stokstijf stil in de gang. Het pandjeshuis! Daar was ze vanochtend nog geweest!

De oude man zou haar zeker herkennen. En hij zou er niet mee zitten om haar te verraden. Ooo, waarom was ze toch niet meer als Tessa? Die had er echt wel aan gedacht om eerst een pruik en een valse neus op te zetten voordat ze een gestolen vaas had verkocht aan de oude man. Ze moest Jack en Tessa spreken. Ze wist dat ze naar De Duinroos waren, dus moest ze hen daar ergens kunnen vinden.

Chris glipte door de deur van haar kamer de tuin in om naar de duinen te ontsnappen. Toen ze langs het hok van Koesja liep, begon hij blij te kwispelen.

'Nee, je kunt echt niet mee, Koes,' zei Chris. 'Ik moet Jack zoeken. En jij bent nog veel te zwak voor zo'n lange wandeling.'

Bij het woord 'wandeling' stak Koesja meteen zijn oren omhoog. Wandeling, aha! Dat woord kende hij maar al te goed. Hij hinkte op drie poten zijn hok uit.

'Terug in je hok!' zei Chris. 'Blijf!'

Koesja liet zijn staart hangen en hield zijn kop scheef. Hij begreep echt niet waarom zijn bazinnetje zo gemeen deed.

Chris vond het rot om hem zo zielig te zien kijken. 'Ik wil echt wel dat je meegaat,' zei ze. 'Maar het gáát gewoon niet.'

'Christíííina...? Christina Appelboom, als je niet onmiddellijk hier komt, dan zwaait er wat!'

Chris keek op. Het hoofd van haar moeder stak uit het keukenraam. Ze moest ervandoor voordat het te laat was!

Chris glipte door de struiken. Ze hoorde dat Koesja achter haar aankwam, maar ze kon er niets meer tegen doen. Als ze nu terugging, zou haar moeder haar opsluiten tot haar vijfenzestigste. 'Kom dan maar,' fluisterde ze tegen Koesja.

Die hobbelde op drie poten mee en probeerde te kwispelen.

'We zoeken Jack en Tessa,' zei Chris tegen hem.

Koesja stak zijn neus in de grond. Zoiets kon je rustig aan hem overlaten!

17

De geheime doorgang

Jack en Tessa liepen achter Nina aan. Tessa liep nog steeds heel moeilijk omdat haar enkel zo'n pijn deed, dus Jack moest haar ondersteunen. Nina liep voorop en propte zo veel mogelijk snoep tegelijk naar binnen. Haar wangen stonden er helemaal bol van. Haar mond zat zo stampvol dat ze nauwelijks meer kon ademhalen.

'Walgelijk,' fluisterde Tessa tegen Jack. 'Vind je het gek dat ze zo dik is. Ik ben blij dat ik haar niet alles gegeven heb.'

'Stil!' siste Jack terug. 'Straks hoort ze je nog!'

'Ja en?' zei Tessa.

'En dan laat ze ons niet meer zien hoe je het kamp in komt.'

Tessa hield haar mond.

Nina had meteen 'nee' geroepen toen Tessa vroeg of ze haar kon vertellen hoe ze telkens zomaar het kamp uit kon zonder dat iemand haar zag. Maar toen ze de geur van lollies, roze koeken en drop rook, kon ze de verleiding niet weerstaan. Ze had Tessa en Jack laten beloven dat ze tegen niemand zouden vertellen dat ze het van haar hadden.

Jack en Tessa hadden hun adem ingehouden. Zouden ze dan eindelijk achter het geheim van De Duinroos komen? Natuurlijk hadden ze Nina alles beloofd wat ze maar wilde horen. Tessa had haar een klein beetje uit de overvolle snoepzak gegeven en Nina had hen meegenomen naar een plek in de duinen die bijna vijftig meter van het pad af lag. Tessa herkende de plek meteen. Hier was Nasar ook al een paar keer zomaar opgedoken en verdwenen! Het was dezelfde plek waar hij Jack bijna gewurgd had.

'Ik dacht dat jij had gezegd dat als je één duin had gezien, je ze allemaal had gezien,' zei Jack. 'Stadsmeisje!'

Tessa stak haar tong uit. 'Jij en Chris kletsen te veel,' zei ze. 'Ik kan me niet herinneren dat...' Maar voordat ze verder nog iets kon zeggen, greep ze Jack bij zijn arm vast en keek stomverbaasd naar Nina. Die liep een gat in een duin binnen en wenkte hen.

Het gat was best groot, maar viel op de een of andere manier helemaal niet op. Waarschijnlijk omdat er braamstruiken langs de zijkanten groeiden die schaduwen wierpen over de ingang.

'Niet te geloven,' zei Jack. 'We zijn hier zo vaak geweest. Waarom hebben we dat niet gezien?'

Nina wenkte hen ongeduldig.

Jack liep meteen achter haar aan, met Tessa strompelend aan zijn arm.

Binnen in het duin bleken de wanden van steen te zijn.

'Hoe kan dat?' zei Jack.

'Het is een ondergrondse bunker,' zei Nina. Ze had eindelijk haar snoep doorgeslikt en keek verlangend naar de zak in Tessa's hand. 'De Duitsers hebben die gebouwd in de Tweede Wereldoorlog.'

Jack en Tessa keken om zich heen. Het was donker en hoe verder ze naar binnen liepen, hoe minder ze konden zien. Nina leek er geen last van te hebben. Jack haalde een zaklamp uit zijn rugzak en knipte die aan. Een lichtstraal viel door het donker.

'Hoe weet je zo goed de weg?' vroeg Tessa.

Nina grinnikte. 'Ik ben al zo vaak door deze gang ontsnapt. Ik zat al twee weken in het kamp en ik stikte echt van de honger. Ze doen wel alsof ze ons eten geven, maar het stelt niks voor. En onze ouders doen er niets aan. Het enige wat zij willen is een slank kind ophalen na een paar weken. Dus die vinden het allang best.'

'Je bent anders niet bepaald afgevallen,' zei Tessa onvriendelijk.

'Dat komt doordat ik telkens kon ontsnappen,' zei Nina eigenwijs, maar haar lip begon te trillen. 'Denk je soms dat het makkelijk is om zoveel gewicht kwijt te raken?'

Jack porde Tessa hardhandig in haar zij met zijn elleboog.

'Au!' zei Tessa kwaad. 'Doe even normaal!' Maar voordat ze verder nog iets kon zeggen, kwamen ze bij een grote stenen muur. Daar hield de bunker op.

'Wat nu?' zei Jack. Hij scheen met zijn zaklamp op de muur. 'We kunnen niet verder.'

Nina stak haar vingers in een holte in de muur. Jack en Tessa hoorden iets klikken. Tot hun stomme verbazing rolde er een grote steen weg, waardoor er een kleine opening in de muur ontstond.

Nina ging op handen en voeten zitten en kroop erdoorheen. Het paste maar net.

Jack en Tessa keken elkaar aan.

'Gaat dat wel met je enkel?' vroeg Jack.

Tessa haalde haar schouders op. 'Het zal wel moeten.'

Jack en Tessa kropen achter Nina aan het gat in. Achter het gat werd de ruimte weer groter. Ze kwamen terecht in een vreemde tunnel, die zo laag was dat ze er gebukt doorheen moesten lopen. Jack scheen met zijn zaklamp op de grond, zodat Tessa kon zien waar ze liep.

'Daarom begon Koesja die ene keer dat gat te graven,' zei Tessa. Die keer dat Nina zomaar verdween. Hij rook haar door de grond heen toen ze door deze tunnel ontsnapte!'

De doorgang leidde ze met veel kronkels dieper de grond in. De muren waren gebobbeld met allerlei uitsteeksels, maar de vloer was helemaal glad, alsof er al jarenlang mensen overheen waren gelopen.

Jack en Tessa hadden het benauwd, maar Nina leek nergens last van te hebben.

'Ik ontdekte deze tunnel toen de kat er met mijn

eten vandoor was gegaan,' vertelde ze. 'Eén piepklein stukje gegrilde kip kregen we. En die rotkat pakte het zo van mijn bord en rende ermee weg. Toen ben ik achter hem aan gegaan en ontdekte deze geheime doorgang.'

Steeds dieper gingen ze de tunnel in en Jack en Tessa dachten al dat hij nooit meer op zou houden. Maar toen zagen ze licht in de verte. Snel liepen ze door. Aan het einde van de tunnel staken ze hun hoofd boven de grond. Ze waren in het kamp!

'Zorg dat niemand jullie ziet!' siste Nina. 'En als jullie toch betrapt worden: jullie kennen mij niet, begrepen?'

Jack en Tessa knikten.

Nina stak haar hand uit. Tessa stopte er nog wat gummibeertjes en twee jamcakejes in. Nina kroop verrassend behendig het gat uit en liep weg.

Jack en Tessa keken in het rond. Toen ze zagen

dat er niemand aankwam, glipten ze het gat uit. Ze schoten meteen weg achter een van de gebouwtjes. Ze hurkten in de schaduw en keken vanaf hun verstopplek het kamp rond.

Het was er niet bepaald gezellig. Er stonden overal houten barakken waarin de kinderen sliepen. In het midden was het grote terrein waar ze de kinderen eerder hadden zien sporten. Aan de zijkant stonden lange tafels. Daar werd gegeten. Of wat daarvoor door moest gaan, volgens Nina.

Tessa stond op en keek door de vuile raampjes van een houten keet. Ook binnen was het een schamele bedoening. Er stonden smalle stapelbedden langs de muren en het was er vies. De Duinroos leek helemaal niet op de foto's in de folder!

'Waar moeten we beginnen?' vroeg Tessa.

'Als het klopt wat wij denken, houdt Nasar hier zijn gestolen buit verborgen,' zei Jack. 'Dat kan niet op een kleine plek zijn, dus we moeten hem kunnen vinden. Zo groot is dat kamp nou ook weer niet.'

'Het moet een plek zijn waar de kinderen niet kunnen komen,' zei Tessa. 'Dus niet in een van deze vieze barakken – die in de folder trouwens luxe bungalows worden genoemd, wist je dat?'

'We moeten het kamp doorzoeken,' zei Jack. 'En maar hopen dat Nasar ons niet betrapt.'

'Nasar is er niet,' klonk een stem achter hen.

Van schrik rolden Jack en Tessa omver.

Maar het was Nina maar. Ze had twee grote kussens

bij zich. 'Hier,' zei ze. 'Prop deze onder je trui, dan val je hier minder op.'

Tessa trok een mondje, maar deed wat Nina zei. 'Dit is een nieuwe blouse,' mopperde ze.

'Zeur niet zo,' zei Jack.

Nina, Jack en Tessa slopen even later door het kamp. Ze openden stiekem de deuren van de huisjes. Ze glipten de keuken binnen en doorzochten alle kasten. Ze keken in de opslagruimtes. Maar ze konden niets vinden.

'Het moet hier ergens zijn,' zei Tessa kwaad.

Ze was moe en haar enkel deed pijn. En er waren drie knopen van haar nieuwe blouse gesprongen door haar zelfgemaakte kussenbuik. Het was gewoon onuitstaanbaar dat ze niks konden vinden! Ze waren eindelijk in het kamp en dit was hun enige kans. Nasar kon elk moment terugkomen. Als dat gebeurde, moesten ze maken dat ze wegkwamen en was alles voor niets geweest.

'Hij is opgehaald door de zwarte Mercedes,' zei Nina. 'Dan blijft hij altijd een tijdje weg. We hebben nog wel even.'

Chris en Koesja lagen onder de braamstruik met uitzicht op De Duinroos. Koesja pulkte nijdig met zijn tanden aan het verband op zijn schouder. Hij vond blijkbaar dat dat er wel weer lang genoeg op had gezeten.

Chris kon bijna niet geloven hoe dapper hij was. De hele weg door de duinen had hij op drie poten afgelegd. En toch had hij steeds gekwispeld, zo blij was hij dat hij weer met zijn bazinnetje op pad was.

'Ik zie Jack en Tessa nergens,' zei Chris. 'Zou het ze echt gelukt zijn om het kamp binnen te dringen?'

'Woef!' zei Koesja en hij sloeg met zijn staart in het zand.

Chris wreef met haar vingers door zijn dikke vacht. 'Denk je dat je ze op kunt sporen? Zoek Jack, Koesja! Zoek!'

Koesja stond op en begon in het zand te snuffelen totdat hij een spoor oppikte. Hij blafte even toen hij Jack en Tessa geroken had en stak zijn staart recht in de lucht. Hij begon het spoor te volgen. Net toen Chris en hij de bocht om gingen, stak hij zijn neus in de lucht en begon te grommen.

Chris keek op. Bij de poort van De Duinroos stopte de zwarte Mercedes. Ze duwde Koesja in het zand en ging zelf plat op haar buik naast hem liggen zodat niemand hen kon zien. Ze duwde met haar hand voorzichtig het helmgras plat en zag hoe Nasar de auto uitstapte. Hij liep naar de poort en maakte hem open.

18

De verborgen buit

Nina, Jack en Tessa kwamen aan bij het huisje van Nasar. Nina stond stijf van angst.

'Hier ga ik niet naar binnen,' zei ze.

'Het is de enige plek waar we nog niet geweest zijn,' zei Tessa. 'Het is dus de enige plek waar de gestolen spullen nog zouden kunnen zijn. We móeten hier naar binnen!'

'Mooi niet,' zei Nina.

'Best, wees jij maar een baby,' zei Tessa. 'Ik ga wel.'

Ze duwde Nina opzij met het kussen op haar buik en deed de deur open. Op haar zere enkel hinkte ze naar binnen. Jack ging achter haar aan.

Het huisje van Nasar zag er een stuk beter uit dan de barakken waarin de kinderen moesten slapen. Er stonden een groot bed met frisse lakens en een televisie. Naast het bed stond een koelkast. Tessa opende de deur. De koelkast zat tot aan de nok toe vol met lekkere dingen.

'Wat een rotzak,' zei ze tegen Jack. 'Moet je kijken! Hij vreet de hele koelkast leeg en de kinderen krijgen een ouwe cracker en een glaasje water.'

Jack rommelde aan de planken op de vloer. 'Er

149

zitten een paar planken los,' zei hij. 'Wedden dat daaronder een ruimte zit waarin hij alles verstopt? Verder hebben we overal gekeken.'

Tessa liep naar hem toe en begon te helpen met de planken lossjorren.

'Daar heb je hem, daar heb je hem!' Nina stak paniekerig haar hoofd om de hoek. 'Het is Nasar. Hij is terug. Schiet op! Schiet dan toch op!'

Jack en Tessa reageerden zonder na te denken. Ze renden het huisje uit naar het gat achter de keuken. Ze hadden maar één kans om ongezien te ontsnappen en dat was via de tunnel! Ze doken nog net op tijd weg toen Nasar de hoek om kwam.

'Waarom hang jij hier rond?' snauwde hij tegen Nina. 'Je weet dat hier geen kinderen mogen komen.'

'Ik dacht dat ik wat zag,' stamelde Nina. Ze liep achteruit, en viel toen over een kussen. Het was het kussen van Jack dat onder zijn trui vandaan was gevallen toen ze wegrenden.

Nasar liep op Nina af. Die lag op de grond en begon te klappertanden. Wat zou hij met haar gaan doen?

'Wat is dat?' zei Nasar. 'Een kussen? Hoe komt dat daar?' Zijn schaduw viel dreigend over Nina heen.

Chris was achter Nasar aangelopen naar De Duinroos, maar Koesja probeerde haar de andere kant op te trekken.

'Niet doen,' zei Chris ongeduldig. 'Straks zijn Jack en Tessa in het kamp. Ik moet iets verzinnen!'

'Waf!' zei Koesja, maar Chris lette niet op hem. Ze keek omhoog naar de poort, die weer op slot zat.

'Ik begrijp het niet,' zei Chris. 'Er moet toch een andere manier zijn. Niet doen!'

Koesja had haar nu bij de pijp van haar spijkerbroek gepakt en begon te sjorren.

'Dit is geen spel, Koes! Laat dat!'

Maar de herder liet haar niet los. Hij keek haar aan met zijn bruine ogen en trok nog harder aan haar broekspijp.

'Wat is er dan?'

Chris liep eindelijk met hem mee. Koesja hinkte opgelucht naar de braamstruik waar Tessa en Jack zich eerder verstopt hadden. Hij liep eromheen, stond toen stil en begon te blaffen.

Chris zag Tessa's mobiele telefoon in het zand liggen. Ze pakte hem op en bekeek hem aan alle kanten. 'Ze zijn hier dus geweest. Maar waar zijn ze dan naartoe gegaan?' Chris keek peinzend naar de poort van De Duinroos.

Koesja blafte nog een keer en liep het naar het paadje dat hen wegleidde van De Duinroos. Hij keek om of Chris met hem mee zou lopen. Toen ze dat deed, kwispelde hij opgelucht.

Chris begreep er niets van. Waar waren Jack en Tessa toch gebleven?

Jack en Tessa liepen door de donkere gang terug naar de bunker. Tessa hinkte verschrikkelijk.

'Schiet op,' zei Jack. 'Straks komt hij achter ons aan!'

'Ik kan niet meer,' kreunde Tessa. 'Mijn enkel doet zo'n pijn.'

'Nog heel even, kom op nou. We zijn er bijna.'

Tessa deed haar best om Jack bij te houden, maar toen ze de volgende bocht omgingen, bleef ze met haar kussenbuik aan een uitsteeksel hangen. Ze gilde. Het geluid kaatste tegen de muren en echode keihard terug. Jack en Tessa keken elkaar geschrokken aan.

'Kan het nog stommer?!' snauwde Jack tegen Tessa. 'Nu heeft hij ons gehoord! Ze hebben ons aan de andere kant van het dorp gehoord! Je hebt ons verraden!' Hij sjorde haar overeind en rende zo goed en zo kwaad als het ging met zijn zusje door de nauwe gang.

Tessa probeerde te lopen, maar haar enkel hield

haar niet meer. Ze zwikte bij elke stap en zakte uiteindelijk in elkaar. 'Sorry,' zei ze zwakjes.

Jack keek haar aan. Wat nu?

Tessa begon zachtjes te jammeren en leunde tegen een grote kei die tegen de muur lag. Tot haar stomme verbazing draaide de muur ineens weg en viel ze achterover!

Koesja blafte bij de ingang van de bunker. Chris, die toch dacht dat ze elk stukje Westwijk kende, viel om van verbazing. Deze ingang had ze nog nooit eerder gezien. Samen met Koesja ging ze de donkere gang in. Koesja had nergens last van, die kon uitstekend zien in het donker. Maar Chris zag bijna niks. Ze stootte zich een paar keer en viel toen over een hobbel in de vloer. Ze deed Koesja aan de riem om zelf overeind te blijven.

Na een tijdje kwamen ze bij de achterkant van de bunker. Een massieve muur rees op. Koesja snuffelde fanatiek aan de onderkant en sloeg met zijn staart op de grond.

'Dat kan niet,' zei Chris tegen hem. 'Je moet je vergist hebben. Hier houdt de gang op.' Ze wilde al teruglopen, maar Koesja zette zich schrap met drie poten. Hoe hard Chris ook aan de riem trok, hij wilde niet met haar mee.

Jack en Tessa wisten niet wat ze zagen! Toen de muur was weggeschoven, verscheen er een kamer die helemaal volgestouwd was met prachtige spullen. Ze schrokken even toen de muur zich uit zichzelf weer achter hen sloot, maar er was te veel te zien om zich daar erg lang druk over te maken. In de inham aan deze kant van de muur stonden pakken, dozen en kisten opgestapeld. Op de planken en rekken aan de zijkant stonden schilderijen met donkere kleuren en vergulde lijsten. Er stonden vazen die behoorlijk veel leken op de Ming van mevrouw Appelboom. Met open monden keken Jack en Tessa in het rond.

'Jack,' zei Tessa ademloos, 'kijk nou, het is zo veel!'

Jack viel op zijn knieën naast een van de kisten en wrikte hem open. 'En dit,' zei hij. 'Allemaal juwelen, diamanten, robijnen, ringen, kettingen en broches. Onvoorstelbaar veel geld waard. Een verzamelaar van antieke spullen zal er vast heel veel voor overhebben.'

'Allemaal gejat van de barones Steenburgh van Hameren?' vroeg Tessa.

Jack schudde zijn hoofd. 'Dit zijn dieven in het groot,' zei hij. 'Ze plegen heel veel inbraken, en verbergen de buit dan in het kamp. Het is de perfecte dekmantel.'

'Maar waarom?' zei Tessa verwonderd. 'Als je je gestolen spullen niet voor heel veel geld verkoopt, heb je er toch niks aan?'

Jack ging met zijn rug tegen een van de kisten aan zitten en keek haar aan. 'Als spullen net gestolen zijn,' zei hij, 'dan weet iedereen ervan. Het staat in de kranten en de politie is druk op zoek naar de dieven en naar de gestolen spullen.'

'Net als toen met die inbraak bij Steenburgh van Hameren,' knikte Tessa.

'Precies,' zei Jack. 'Maar als de politie na een tijdje niets kan vinden, komen er weer andere zaken. Andere inbraken waar ze achteraan moeten. En dan is iedereen die eerste inbraak alweer vergeten.'

'En dat is het moment dat ze hun spullen gaan verkopen. Bijvoorbeeld aan die engerd aan wie Chris ook haar moeders vaas heeft verpatst,' knikte Tessa. Ze begreep het.

'De Duinroos is een perfecte afleiding,' zei Jack. 'Niemand zal zich afvragen waarom Nasar en Van Bovenkerken de hele tijd in de duinen rondhangen. Want iedereen weet dat ze daar een vetkamp runnen, dus doen ze niets verdachts.'

'Vakantiekamp voor kinderen met overgewicht,' zei Tessa.

'Alsof het daar nog over gaat,' zei Jack.

Chris en Koesja stonden voor de massieve muur aan het eind van de bunker. Natuurlijk had Chris er geen idee van dat er een geheime deur in de muur zat die toegang gaf tot de tunnel erachter. En ze had al hele-maal niet in de gaten dat Nasar aan de andere kant van die muur stond.

Nadat hij Tessa had horen gillen, was hij de hele

gang door gelopen zonder iemand te vinden. En nu stond hij voor de muur. Op nog geen halve meter afstand van Chris en Koesja! Als hij nu de geheime deur open zou doen, zouden ze oog in oog staan.

Alleen Koesja had het in de gaten. De herder duwde zijn grote, natte speurneus nieuwsgierig tegen de muur aan en sperde zijn neusvleugels. Toen rook hij Nasars aanwezigheid. Hij piepte. Deze geur betekende pijn! De stoere hond verstopte zich achter Chris' benen.

Chris snapte er niets van. Waarom was hij bang? Ze had medelijden met hem en wilde teruggaan. Hier kwamen ze niet toch niet verder. Ze hoorde niet dat Nasar zich aan de andere kant van de muur had omgedraaid en terug de tunnel in was gelopen. Maar Koesja hoorde dat natuurlijk wel! Toen Chris de bunker weer uit wilde gaan, wilde haar hond niet met haar mee. Hij was misschien bang, maar hij wist ook zeker dat ze hier niet weg konden gaan. Hij speurde de muur af totdat hij bij de steen kwam waar een bekende lucht aan zat. Hij duwde er met zijn neus tegenaan.

Chris hapte naar adem toen ineens een gedeelte van de muur wegschoof. Als ze had geweten dat Nasar maar vijftig meter verderop liep, had ze het natuurlijk wel uit haar hoofd gelaten om in het gat te kruipen. Maar dat wist ze niet.

19

Gevangen!

Nasar liep terug door de tunnel toen hij ineens stemmen hoorde. Hij bleef stilstaan en spitste zijn oren. Had hij het zich verbeeld? Maar toen hoorde hij het weer. Hij keek naar het kussen dat Tessa had laten vallen. Ineens begreep hij dat zijn allergrootste geheim ontdekt was. Hij schopte tegen de grote kei en de geheime opening werd meteen zichtbaar.

Jack en Tessa sprongen geschrokken op. Ze keken recht in de woedende donkere ogen van Nasar.

'Jullie weer!' zei Nasar. Zijn donkere gezicht stond woedend.

Jack en Tessa deinsden geschrokken achteruit. In deze kleine ruimte viel het pas op hoe groot Nasar eigenlijk was. Zijn schouders waren zo breed dat hij maar net door de opening paste. De schemering wierp wrede schaduwen over zijn gezicht.

'Altijd jullie weer,' siste hij. 'Ik ben het helemaal zat. Jullie duiken altijd weer op op plaatsen waar jullie niets te zoeken hebben.'

Jack en Tessa slikten.

'Jullie zijn een stelletje rotkinderen,' zei Nasar woedend. 'En ik heb er nu helemaal genoeg van.'

Jack en Tessa zagen zijn hand naar zijn binnenzak

gaan. Tessa sloot haar ogen. Ze wist zeker dat hij zijn pistool weer zou trekken. En er was hier helemaal niemand die hem tegen kon houden.

Chris was voorzichtig samen met Koesja door de tunnel gelopen toen ze ineens voetstappen achter zich hoorde. Snel had ze zich teruggetrokken in een nauwe spleet in de wand. Vanuit de schaduwen zag ze Van Bovenkerken door de ondergrondse gang lopen. Zijn jaspanden wapperden achter hem aan en hij keek niet bepaald tevreden. Toen hij voorbij gelopen was, ging ze stiekem achter hem aan.

Zelfs Koesja leek te begrijpen dat Van Bovenkerken hen niet mocht zien, want hij gaf geen kik.

Chris sloeg een hand voor haar mond toen ze zag dat Van Bovenkerken via de grote kei een muur kon openen. Als ze dat niet had gedaan, was ze vast gaan schreeuwen van schrik. En ze sloeg een hand om Koesja's bek heen toen hij ineens begon te grommen omdat hij Nasars stem hoorde. Ze mochten absoluut niet ontdekt worden!

Tessa en Jack hoorden de wand opnieuw wegschuiven. Tessa deed haar ogen open. In de opening stond Van Bovenkerken. Nasar gedroeg zich ineens heel slijmerig en kruiperig.

'Meneer Van Bovenkerken! Ehm... hallo. Ik kan dit uitleggen.'

Van Bovenkerken sloeg zijn armen over elkaar

heen en bekeek Nasar vol walging.

'Dat lijkt me heel interessant,' zei hij. 'Want ik begrijp niet helemaal wat deze twee snotneuzen hier doen. Zijn het kinderen uit het kamp?'

'Nee, nee,' zei Nasar haastig. 'Het zijn gewoon twee vervelende kinderen die altijd rondhangen op plaatsen waar ze niet thuishoren.'

'Ik dacht dat je met hen had afgerekend toen je die hond had doodgeschoten,' zei Van Bovenkerken. 'Trouwens, waar is dat andere meisje?'

'Daar heb ik mee afgerekend, meneer,' hoorde Chris Nasar kruiperig zeggen. 'Die zal ons geen last meer bezorgen. En ik beloof u op mijn erewoord dat u deze twee ook nooit meer bij De Duinroos zult zien.'

'De Duinroos? De Puinroos zal je bedoelen!' klonk ineens een andere stem.

Chris schrok zich rot en Koesja begon blij met zijn staart op de grond te slaan. Allebei hadden ze de stem van Tessa herkend. Maar wat deed zij daar?

Voordat Chris daarachter kon komen, schoof de wand weer automatisch dicht. Ze schoof dichter naar de ingang toe om te kijken of ze daar kon afluisteren wat er in de geheime kamer gebeurde.

Tessa was woedend. Ze stond met haar handen in haar zij voor Nasar en Van Bovenkerken. Ze was zo boos dat ze bijna was vergeten hoeveel pijn haar enkel deed. 'Het is belachelijk wat jullie met die arme kinderen doen. Hoe durven jullie? En alleen maar om jullie smerige zaakjes te verhullen!'

Jack greep naar zijn hoofd. Hij wist precies hoe Tessa was als ze zo'n bui had. Maar dit was niet bepaald een goed moment om Nasar en Van Bovenkerken uit te schelden!

Van Bovenkerken bekeek Tessa. Daarna draaide hij zich langzaam om naar Jack. 'Ik heb jullie toch vaker gezien,' zei hij.

'Echt wel!' riep Tessa. 'Dat was in dat opgepoetste glanzende kantoor van je. Toen je ons liet zitten terwijl we gewoon een afspraak hadden.'

Van Bovenkerken negeerde haar en draaide zich om naar Nasar. 'Dit zijn de kinderen van de nieuwe burgemeester, jij ongelofelijke sukkel! Je hebt de kinderen van de nieuwe burgemeester opgesloten. Wíl je soms graag de hele politiemacht en het hele dorp achter ons aan hebben?'

Nasar kromp in elkaar. 'Nee, meneer Van Bovenkerken. Natuurlijk niet. Het was een vergissing.'

'Jij deugt helemaal nergens voor,' siste Van Bovenkerken. Hij keek weer naar de kinderen. Tessa kon bijna niet meer op haar enkel staan, maar ze was zo kwaad dat ze de pijn negeerde. Jack wachtte gespannen af wat er zou gaan gebeuren.

'Ze kunnen niet terug naar het dorp,' zei Van Bovenkerken.

Nasar haalde zijn pistool uit zijn broekriem. 'Laat dat maar aan mij over,' zei hij.

'Idioot!' snauwde Van Bovenkerken. 'Je gaat toch niet de kinderen van de burgemeester doodschieten? Nee, ik heb een beter idee. Ze blijven hier gewoon zitten. Ze kunnen geen kant op.' Hij begon op een tamelijk maniakale manier te lachen. 'Als ratten in de val!' Zijn lach galmde door de kleine kamer.

Hij haalde een instrumentje uit zijn zak waarmee hij de muur kon openen. Het leek op een afstandsbediening waarmee je ook het slot van een auto kunt openmaken. 'Jullie kunnen de kamer niet openen vanaf deze kant,' zei Van Bovenkerken tegen Jack en Tessa. 'Voor mijn part sterven jullie hier van de honger en de dorst.'

Jack en Tessa kropen tegen elkaar aan. Van Bovenkerken verdween door het gat in de muur.

Nasar liep half buigend van ellende achter hem aan.

Aan de andere kant van de muur had Chris het hele gesprek kunnen volgen. Ze was blij dat ze eerder had gezien hoe Van Bovenkerken de muur opengemaakt had via de grote kei. Ze was van plan af te wachten tot de twee mannen weg waren en dan meteen Jack en Tessa te bevrijden. Toen ze de muur open hoorde gaan, trok ze zich snel terug in de schaduwen. Ze zag hoe Nasar en Van Bovenkerken naar buiten kwamen.

'Het spijt me, meneer,' jammerde Nasar. 'Het zal niet meer gebeuren.'

Van Bovenkerken negeerde zijn gejengel. 'De

politie ondervraagt de eigenaren van alle pandjeshuizen en andere verkooppunten,' zei hij op vlakke toon.
'Ik heb ervoor gezorgd dat de oude man voorlopig
zijn mond houdt. Maar jij moet je daar voorlopig niet
meer laten zien, begrepen?'

'Ja meneer,' piepte Nasar.

Chris zag vanuit haar schuilplaats hoe ze door de
ondergrondse gang verdwenen in de richting van De
Duinroos. Voorzichtig kroop ze uit de spelonk in de
muur.

Opeens jankte Koesja zo hard als hij kon: Chris
was per ongeluk op zijn poot gaan staan. Precies op
de poot waarvan de schouder gewond was.

Nasar en Van Bovenkerken stonden meteen stil en
draaiden zich om. Even stonden het meisje en de twee
mannen oog in oog met elkaar. Toen rende Chris zo
hard ze kon naar de uitgang, met Koesja achter zich
aan.

Maar de twee mannen waren veel sneller. Nasar
wist dat Van Bovenkerken woedend op hem was en
wilde er alles aan doen om zijn baas weer gunstig
te stemmen. Hij rende met grote stappen achter het
meisje en haar hond aan, nam een duik en greep
Chris bij haar benen. Chris smakte tegen de grond.

Koesja gromde, maar hij was nog veel te zwak om
aan te vallen. Bovendien herkende hij de geur die
om Nasar heen hing. De laatste keer dat hij die had
geroken, werd hij neergeschoten. Hij deed zijn staart
tussen zijn poten en duwde tegen Chris aan.

'Het is druk hier, vandaag.'

Chris en Nasar keken op. Van Bovenkerken was bij hen komen staan en keek nu van grote hoogte op hen neer. 'Nog meer vrienden van je?' sneerde hij tegen Nasar.

'Nee, meneer, ik handel dit af. Echt, ik zorg ervoor dat niemand haar ooit nog zal zien.'

Van Bovenkerken bekeek hem minachtend, draaide zich toen om en liep weg.

Nasar stond op en sleurde Chris aan haar haren overeind. Hij duwde zijn gezicht bijna tegen het hare aan. 'Dit was één keer te veel,' zei hij. 'Had je je lesje nog niet geleerd na de vorige keer?'

Voordat Chris kon antwoorden sleepte hij haar naar de muur, trapte tegen de grote kei en gooide haar door het gat in de muur. Daarna schopte hij Koesja erachteraan.

Chris en Koesja vielen neer op de grond, vlak voor de voeten van Jack en Tessa.

Jack ging op zijn knieën zitten en hielp Chris overeind. 'Chris! Ben je gewond?'

Nasar verdween achter de muur, die meteen achter hem dichtging. De drie vrienden zaten ineens in het donker. Koesja jankte.

'Hoe heb je ons gevonden?' zei Tessa.

'Koesja heeft jullie opgespoord.'

'Knappe hond!' zei Tessa en ze krabde Koesja door zijn vacht. Koesja ging zacht jankend tegen haar aan liggen.

'Waarom heb ik net nu mijn mobieltje verloren?' kreunde Tessa.

Chris haalde Tessa's mobiele telefoon tevoorschijn. Jack en Tessa waren heel even verschrikkelijk blij. Totdat ze de display zagen: geen bereik.

'Ik haat die rottunnel!' riep Tessa.

Jack had eindelijk zijn zaklamp gevonden en deed die aan. Een bundel licht scheen door de geheime kamer heen.

Tessa zag het verband op Koesja's schouder en wreef over haar eigen enkel. 'We hebben allebei een gewonde poot,' zei ze.

'En dat is niet ons grootste probleem,' zei Jack. 'We zitten vast. En vergeet het maar dat iemand ons hier ooit zal kunnen vinden.'

Het snoepspoor

Tessa en Koesja hingen uitgeput tegen elkaar aan. Ze hadden allebei pijn omdat ze te veel dingen gedaan hadden met hun zere voet.

Jack liep langs de muur heen en weer en voelde en trok aan allerlei stenen en uitstulpsels. Er moest toch een manier zijn om uit deze kamer te ontsnappen!

Jack had Chris de zaklamp gegeven. Ze liet de lichtbundel over de planken glijden. 'Dus hierom heeft hij Koesja neergeschoten,' zei ze walgend. 'Een paar prullen en wat schilderijtjes.'

'Er staat hier anders voor honderdduizenden euro's aan "prullen",' zei Jack. 'En we zullen hier doodgaan van de honger en dorst als we niet snel iets verzinnen.'

'Onze ouders zullen ons toch wel gaan missen,' zei Tessa. 'Je denkt toch niet dat papa en mama het erbij laten zitten als wij opeens niet meer thuiskomen?'

'Natuurlijk niet,' zei Jack. 'Alleen zullen ze ons hier nooit kunnen vinden.'

'Ik heb honger,' zei Tessa. 'Ik heb sinds vanmiddag al niks meer gehad.'

'Eet die zak snoep maar leeg,' zei Jack. 'Daar zit zoveel suiker in dat we er met zijn drieën een maand van kunnen leven. Het echte probleem is water. Je kunt best een tijdje zonder eten, maar als je niet drinkt, ben je er binnen een paar dagen geweest.'

Tessa trok de zak snoep uit haar jas. Ze keek er beteuterd naar. De zak was helemaal leeg! Even dacht ze dat Nina alle snoep had opgegeten terwijl zij in het kamp aan het zoeken waren. Maar toen ontdekte ze het gat onderin. 'We hebben ook geen eten,' zei Tessa. 'Kijk.' Ze hield de lege zak omhoog.

'Nina?' vroeg Jack meteen.

'Er zit een gat onderin,' zei ze. 'Ik moet de snoepjes verloren hebben toen we snel uit het kamp moesten vluchten voor Nasar.'

'Dit is niet het moment om Klein Duimpje te gaan spelen,' zei Jack kwaad. 'Wat moeten we nou?'

Ineens begon Chris te lachen. Jack en Tessa keken verbaasd op. Was ze gek geworden? Wat was hier leuk aan? Chris schudde helemaal van de slappe lach en hield haar buik vast. Hulpeloos gleed ze onderuit en leunde tegen een van de kisten. De tranen liepen over haar wangen.

'Het zijn de zenuwen,' zei Tessa. 'Omdat we opgesloten zijn en hier niet meer wegkomen. Daar ga je rare dingen van doen.'

Jack hurkte naast Chris en sloeg een arm om haar heen. 'Rustig maar,' zei hij. 'We verzinnen wel iets.'

Chris begon nog harder te lachen en veegde de tranen uit haar ogen. Ze probeerde iets te zeggen, maar elke keer als ze begon, schoot ze weer in de lach. Jack en Tessa begrepen er niets van. Eindelijk kalmeerde Chris een beetje.

'Een snoepspoor,' hikte ze. 'Een snoepspoor in een vetkamp...'

'Vakantiekamp voor kinderen met overgewicht,' onderbraken Jack en Tessa haar tegelijkertijd.

'Een snoepspoor tussen een meute uitgehongerde kinderen en onze zogenaamde onvindbare gevangenis,' zei Chris en ze begon weer te lachen. 'Ik denk eigenlijk dat we best snel gevonden zullen worden.'

Ze was nog niet uitgesproken of ze hoorden de stem van Nina aan de andere kant van de muur.

'Tessa?'

'Hier!' riep Tessa. 'We zijn hier!'

'Aan de andere kant van de muur!' riep Jack.

'Je moet tegen de grote kei duwen om de muur open te maken!' gilde Chris.

Koesja begon te blaffen. Het lawaai was oorverdovend hard in de kleine ruimte.

Even later schoof de muur weg. Nina stond in de gang met zeven andere kinderen, die allemaal nog zochten naar op de grond gevallen snoepjes. Jack, Tessa, Chris en Koesja renden meteen door het gat, voordat de muur weer uit zichzelf dicht zou gaan.

'Wat doen jullie nou hier?' vroeg Nina. 'Ik heb deze kamer nog nooit gezien.'

'Het duurt te lang om uit te leggen,' zei Jack. 'We moeten hier zo snel mogelijk weg om de politie te waarschuwen.'

167

De kinderen renden met zijn allen naar de uitgang in de duinen. Tessa hobbelde zo goed en zo kwaad als het ging tussen Nina en Jack in. Koesja hinkte naast Chris. Pas toen ze weer in de frisse lucht stonden, konden ze opgelucht ademhalen.

'Wat nu?' zei Tessa. 'Ik kan niet meer en Koesja heeft ook te veel pijn bij het lopen.'

'We moeten naar het pandjeshuis,' zei Chris. 'Ik heb die Van Bovenkerken in de tunnel horen zeggen dat de politie daar op onderzoek is.'

'Ella!' riep Jack verheugd.

Iedereen volgde zijn blik. En inderdaad, over het zandpad dat naar De Duinroos leidde, kwam de Lelijke Eend van Ella aangereden.

Ella gooide de deuren open. 'Stap in,' zei ze. 'Toen ik het telefoontje van je moeder kreeg, ben ik je meteen gaan zoeken. Wat is er in 's hemelsnaam met jullie aan de hand?'

Jack, Tessa, Chris, Koesja en Nina propten zichzelf met moeite in de oude auto van Ella. Voor de andere kinderen was geen plek meer.

'We moeten naar het industrieterrein net buiten het dorp,' zei Chris. 'We leggen het onderweg wel uit.'

Ella gaf gas, maar omdat de auto zo zwaarbeladen was, draaiden de wielen alleen maar heel hard rond in het zand. Ze kwamen steeds verder vast te zitten.

De kinderen uit het kamp gingen met zijn allen achter de auto staan en begonnen te duwen. De Lelijke Eend kwam los en reed het pad op.

Onderweg viel Ella van de ene verbazing in de andere toen de kinderen haar – dwars door elkaar heen – het hele verhaal vertelden.

'Ik kan het gewoon niet geloven,' zei ze. 'Neergeschoten? Inbraken? Een verborgen buit en een geheime doorgang? Wat hebben jullie allemaal gedáán?'

Toen ze de deur van het pandjeshuis openden en met zijn zessen binnenvielen, wist Chris niet wat ze zag. De vorige keer was het er stil, schimmig en verlaten geweest. Nu liep iedereen door elkaar heen. De politie doorzocht de winkel. Twee van de agenten ondervroegen de oude man. Ze schreeuwden tegen hem, maar de oude man bleef jammerend volhouden dat hij van niets wist. Ciska Beerenpoot liep overal doorheen met een opgewonden blos op haar wangen. Je kon duidelijk zien hoe heerlijk ze het vond dat iedereen in de penarie zat. Haar pen vloog over het papier en ze stelde links en rechts vragen.

'Zij!' riep de oude man ineens. Zijn vinger wees naar Chris, die probeerde zich achter Nina's brede rug te verstoppen. Dat lukte niet. Iedereen keek plotseling naar Chris.

De wijsvinger van de oude man priemde naar haar. 'Zij heeft me die vaas verkocht. Zij is de dief naar wie jullie op zoek zijn!'

Ciska Beerenpoot kreeg bijna een hartaanval van geluk. 'Is het wérkelijk?' glunderde ze en ze liep op Chris af.

Ella, Jack en Tessa gingen voor haar staan.

'Laat haar met rust!' zei Jack. 'We hebben u heel interessante dingen te vertellen over de echte dieven.'

'Maar hij heeft haar net aangewezen als de dader,' zei Ciska Beerenpoot. 'Als dat geen bewijs is dat ze het gedaan heeft...'

De twee agenten kwamen op Chris af. 'Ik ben bang dat we je mee moeten nemen naar het bureau,' zei een van de twee. 'Dit is een ernstige beschuldiging.'

'Het is de vaas van haar moeder,' zei de andere. 'Dus ze heeft ook alle gelegenheid gehad om het te doen.'

'Bovendien,' zei Ciska Beerenpoot 'heb ik navraag gedaan bij dokter Van Dam, de dierenarts. Hij zegt dat zij hem vijfhonderd euro heeft betaald voor de operatie van haar hond. Hoe komt dat kind aan zoveel geld?'

Chris keek van de een naar de ander. Ze was er gloeiend bij, zo veel was zeker.

Nina deed een stap naar voren. 'Ik heet Nina,' zei ze. 'En ik woon in De Duinroos.'

'Het vakantiekamp voor kinderen met overgewicht,' zei Ciska Beerenpoot.

'Het vetkamp,' zei Nina.

'En als u ons eerst ons verhaal wilt laten vertellen,' zei Jack, 'mag u daarna Chris meenemen. Als u het dan nog steeds wilt.'

De agenten keken elkaar even aan. Toen knikten ze.

'Ik luister,' zei de ene agent.

Twee dagen later zaten Jack, Tessa, Chris en Koesja elk achter een enorme taartpunt bij Snackpoint Charlie. Koesja's neus zat onder de slagroom. Ze bespraken alles wat er gebeurd was.

'Het leukste gedeelte vond ik nog wel,' grijnsde Chris, 'dat mijn moeder moest toegeven dat ze die vaas helemaal niet op een veiling gekocht had. Dat ze hem gewoon van de pandjesbaas had gekocht. Van iemand die in gestolen waar doet!' Ze lachte met haar mond vol taart.

'Je moeder wist niet hoe snel ze de aanklacht moest intrekken,' grijnsde Jack. 'Ze schaamde zich dood.'

'Gelukkig wel,' zei Chris. 'Anders had ik nu samen met Nasar en Van Bovenkerken in de gevangenis gezeten.'

'Mijn lievelingsmoment was dat je moeder zei dat Koesja mocht blijven,' zei Tessa. 'Dat was vlak nadat die ene agent tegen haar had gezegd dat ze "vast en zeker wel heel trots was op haar dochter". Donkerpaars werd ze!'

'Arme Ciska Beerenpoot,' zei Jack. 'Ze heeft op haar kop gehad van de krant. Ze mag voorlopig geen grote verhalen meer schrijven. Alleen maar kleine stukjes.'

'Dat mens is gek,' zei Charlie. 'Maar ik heb aan dit hele avontuur mooi een goeie opslagruimte overge-houden. Ik kon het gebouw voor een prikkie overne-men nadat het pandjeshuis was opgedoekt.' Hij zette drie grote glazen cola voor hen neer. Toen deed hij zijn basketbalpet af, depte zijn kale hoofd met een zakdoek en schoof toen de pet weer terug. 'Ik begrijp nog steeds niet hoe jullie het 'm geflikt hebben,' zei hij hoofdschuddend. 'Die twee kerels zijn opgepakt en al die arme kinderen mochten eindelijk naar huis.

Hoe zijn jullie erachter gekomen wat ze daar allemaal uitspookten?'

'O gewoon, Tessa vond het een beetje saai in Westwijk,' grinnikte Chris. 'Dus we probeerden haar een beetje te vermaken.'

Tessa kreeg een kleur, maar Jack moest lachen.

Daar kreeg Chris het ineens heel warm van.

Charlie lachte en porde Tessa plagerig in haar zij. 'En?' vroeg hij, 'wil je nog steeds liever terug naar de stad?

Tessa grinnikte. 'Ik denk dat ik hier nog even blijf. Ik heb het idee dat de Vier van Westwijk nog heel wat gaan beleven!'

einde

De verdwijning van
Bo
Monti

Manon Spierenburg

De zomer is in volle hevigheid losgebarsten in Westwijk aan Zee. Het kustplaatsje wordt overstroomd door duizenden toeristen. De hotels, de campings, de terrassen en de stranden zitten allemaal bomvol en iedereen verheugt zich op het concert van de populaire volkszanger Bo Monti in Westwijks openluchttheater. Het concert is binnen een mum van tijd uitverkocht, maar Jack, Tessa en Chris (en Koesja) kunnen op de valreep nog aan toegangskaartjes komen.

Die avond staan de kinderen op de voorste rij als Bo Monti met veel bombarie wordt aangekondigd.

Het publiek is uitzinnig van vreugde, maar na de derde vergeefse aankondiging wordt zelfs hun duidelijk dat de populaire zanger die avond het podium niet zal betreden... Bo Monti is spoorloos verdwenen!

Gewapend met een flinke dosis lef besluiten de vier van Westwijk op onderzoek uit te gaan...

uit de Westwijker Courant

BO MONTI VEROVERT WESTWIJK!

door Ciska Beerenpoot

Toen de afgelopen dagen bekend werd dat de populaire zanger **BO MONTI** maar liefst DRIE CONCERTEN komt geven in het schitterende openluchttheater van Westwijk, is er een WARE RUN ontstaan op de beschikbare kaartjes. Niet alleen de toeristen, maar ook de Westwijkers sliepen 's nachts in SLAAPZAKKEN in de BUITENLUCHT voor de loketten om er als eerste bij te zijn toen het VERKOOPKANTOOR in de vroege ochtend openging. De kaartjes waren in VIJF MINUTEN uitverkocht. BO MONTI, die op dit moment de hitlijsten aanvoert met zijn single *BLAUW ALS JOUW OGEN*, gaf een EXCLUSIEF INTERVIEW aan sterreporter CISKA BEERENPOOT van de WESTWIJKER COURANT.